W9-AAQ-472

El nuevo Houdini

Past Tense Version

Cover and Chapter Art by
Robert Matsudaira

by
Carol Gaab

Copyright © 2010 by TPRS Publishing, Inc.
All rights reserved.

ISBN: 978-1-935575-14-6

TPRS Publishing, Inc., P.O. Box 11624, Chandler, AZ 85248

800-877-4738

info@tprstorytelling.com • www.tprstorytelling.com

A NOTE TO THE READER

This fictitious novel is based on the top 200 words in Spanish. It contains a *manageable* amount of high-frequency vocabulary and countless cognates (words that are similar in two languages), making it an ideal first read for beginning language students.

Essential vocabulary is listed in the glossary at the back of the book. Keep in mind that many verbs are listed in the glossary more than once, as most appear throughout the book in various forms and tenses. (Ex.: I go, he goes, he went, etc.) Vocabulary that would be considered beyond a 'novice-low' level is footnoted within the text, and their meanings given at the bottom of the page where each occurs.

You may have already noticed that there are two versions to this story, a past-tense version and a present-tense version. You may choose to read one or the other, or both. Whatever version you choose, we encourage you to focus on enjoying the story versus studying the tense in which it is written.

The opinions and events in this story do not reflect or represent the opinions or beliefs of TPRS Publishing, Inc. This novel is intended for educational entertainment only. We hope you enjoy reading it!

Índice

Past Tense Version

To read this story in present tense, please turn the book over.

Capítulo 1
Una situación horrible

– Braaaandon –llamó la madre de Brandon.

Brandon estaba en su dormitorio, cuando su madre lo llamó. Él conversaba con sus amigos en Facebook. Brandon y sus amigos conversaban sobre las vacaciones de sus padres. Los padres de Brandon se iban de vacaciones y su hermana, Katie, iba a venir a casa.

El nuevo Houdini

facebook 🔍 Buscar

Brandon Brown

Muro | **Información** | Fotos | +

Acerca de mí

Información básica	Sexo:	Hombre
	Fecha de nacimiento:	03 de enero
	Situación sentimental:	Soltero(a)
	Me interesan:	Mujeres
	Ciudad actual:	Denver, Colorado
	Creencias religiosas:	Cristiano: Católico
Biografía	17 años	
	Rocky Mountain High School	

Editar mi perfil

17 años
Rocky Mountain High School

Información

Situación sentimental:
Soltero(a)
Fecha de nacimiento:
03 de enero
Ciudad actual:
Denver, CO

Brandon sólo tenía una hermana. Él no tenía hermanos. Su hermana, Katie, tenía veinte años y no vivía en casa. Ella vivía en un apartamento en la universidad. Brandon vivía en casa con sus padres. Él estaba muy feliz porque sus padres se iban de vacaciones y su hermana iba a quedarse en casa.

2

– ¡Braaaandon! –su madre lo llamó impacientemente.

– Un momento, mamá –Brandon le respondió.

Brandon fue a hablar con su madre. Su madre y su padre estaban en el dormitorio de los padres preparándose para las vacaciones. Brandon entró en el dormitorio y le respondió a su madre:

– ¿Sí?

– Brandon, tu hermana no puede venir mañana.

– ¡¿Qué?! ¿Katie no puede venir?

– No, Brandon. Tu hermana no puede venir. No puede quedarse contigo.

Para Brandon, quedarse solo no era un problema. Tenía diecisiete años y era muy responsable. Casi era adulto. Él les dijo a sus padres:

– Casi soy adulto. Puedo quedarme solo.

– Brandon, tú no puedes quedarte solo.

– Tengo diecisiete años. ¡¡¡Sí puedo quedarme solo!!!

– Brandon, tú no vas a quedarte solo. Tu abuela va a venir. Ella va a quedarse contigo.

¡Brandon no estaba feliz! Él prefería quedarse con su hermana, ¡no con su abuela! Su abuela era muy estricta. Para Brandon, esta situación no era tolerable. ¡Era una situación horrible! Él les dijo a sus padres:

– ¡Ay! Abuelita es muy estricta. ¡¿Por qué no puedo quedarme solo?!

– Porque tu madre y yo preferimos que te quedes con un adulto –le respondió su padre.

¡Brandon estaba furioso! Fue a su dormitorio y se conectó con sus amigos en Facebook. «¡Increíble!», él les dijo por la computadora. «Mi hermana no viene. Mi ABUELA viene. ¡Mi ABUELA va a quedarse conmigo!». Brandon se quedó en su dormitorio por dos horas. A las siete, su abuela vino a la casa y la madre de Brandon lo llamó:

– Braaandon...

Brandon continuó hablando con sus amigos.

– ¡Braaandon!...

Brandon se desconectó de Facebook y fue a hablar con su abuela.

– Hola abuelita.

– ¡Hola Brandi! ¿Cómo estás?

– Bien, ¿y tú?

– Feliz. Estoy muy feliz. Quedarme en casa contigo es una experiencia maravillosa –su abuela le respondió– Te adoro. ji ji ji

Brandon no le respondió y su padre notó su silencio. Rápidamente, su padre habló para salvar la situación:

– Abuelita, tengo el itinerario de las vacaciones. Nos vamos mañana a las cinco de la
mañana.

El padre tenía dos papeles y le dijo a la abuela:

– Este papel tiene información sobre Brandon y este papel tiene información sobre
el itinerario.

Brandon...
1) No puede tener
amigos en la casa.
2) Debe[1] ir directa-
mente a la escuela
y regresar directa-
mente de la escuela.
3) ¡NO puede con-
ducir mi carro!

Itinerario
domingo, 1 de mayo
Aerolínea Buena - Vuelo[2] #227
 - llegada[3]: 11:45 a.m. Aeropuerto de Hawaii

sábado, 8 de mayo
Aerolínea Buena - Vuelo #555
 - llegada: 3:15p.m. Aeropuerto de Denver

Hotel: Palacio Tropical (555)555-5555

La abuela notó la información sobre Brandon:

— ¿Brandon no puede conducir tu carro?

— ¡No! Brandon no puede conducir mi carro. Mi carro es muy especial. ¡Mi carro es mi bebé!

Brandon comentó sarcásticamente:

— Sí abuelita, su carro es más importante que yo. Es más importante que todo.

Brandon no habló más. Se fue a su dormitorio silenciosamente.

[1]*debe - s/he should*
[2]*vuelo - flight*
[3]*llegada - arrival*

Capítulo 2
¡Adiós!

A las cinco de la mañana, los padres de Brandon entraron al dormitorio de Brandon para decirle «Adiós». Su madre le dijo:

    – Brandon...

Brandon dormía y no le respondió.

    – Brandon...nos vamos.

Brandon no le respondió y su madre tocó la cama[1]. Brandon continuó durmiendo. Entonces, su

[1]*cama - bed*

madre le tocó la cabeza y le repitió:

– Brandon, nos vamos.

Brandon ya no dormía. Era obvio que Brandon estaba enojado. Su madre le tocó la cabeza suavemente y le dijo:

– Adiós Brandon. Ya nos vamos.

Brandon le respondió con un tono enojado:

– Adiós.

– Brandon, –le dijo su madre– yo sé que tú estás enojado, pero no hay otra opción.

Brandon estaba enojado y no le respondió a su madre. Ella continuó hablando:

– Brandon, por favor, respeta a tu abuela y respeta las reglas[2] de la casa también.

– Está bien –Brandon le respondió sarcásticamente.

– ¡Brandon! –gritó su padre– Respeta a tu madre. ¡No le hables sarcásticamente!

Su padre estaba enojado y continuó gritándole a Brandon:

– Brandon, no hay otra opción. Tú vas a quedarte con tu abuela y vas a respetarla. ¡Y vas a respetar las reglas de la casa!

[2]*reglas - rules*

9

– Sí, Papá. Voy a respetar las reglas: No
tener amigos en casa. Ir directamente a la
escuela. No conducir tu carro –Brandon
repitió las reglas sarcásticamente.

Ahora, su padre estaba muy enojado, pero no le
gritó más. Le dijo «Adiós» y se fue. Su madre le tocó
la cabeza y le dijo:

– Brandon, yo sé que estás enojado, pero no
hay otra opción. Tú eres un chico obediente y yo sé que vas a respetar a tu
abuela. Adiós.

Su madre se fue y Brandon no le respondió. Él estaba muy enojado con la situación. Estaba enojado con su hermana por no venir a la casa y estaba enojado con su padre por no permitirle conducir su carro. ¡Estaba enojado por todo!

Brandon se quedó en la cama. Se quedó en la cama por tres horas, pero no dormía. Se comunicaba con sus amigos por textos en su teléfono celular. Tenía una conversación interesante con un amigo en particular. El amigo se llamaba Jake.

Mis padres se fueron.

¿Puedo ir a tu casa?

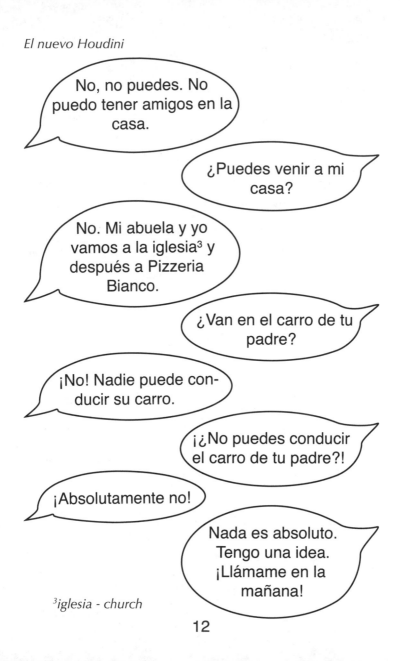

³*iglesia - church*

Capítulo 3
El carro no funciona

A las seis de la mañana, Brandon se levantó. Se levantó temprano porque quería comunicarse con Jake. Brandon lo llamó por su teléfono celular. «Ring... ring»

> – Gracias por llamar a Pizzeria Bianco –dijo Jake.

Jake era muy cómico. Siempre respondía con un comentario cómico.

> – Hola Jake. ¿Qué pasa?

– Nada.

– ¿Nada?

Jake no dijo nada sobre su idea y Brandon se puso impaciente. Brandon le dijo a Jake:

– Jake, ¿Tienes una idea o no?

– Siempre tengo ideas. ja ja ja.

Jake siempre tenía ideas, pero usualmente tenía ideas malas. Normalmente, las ideas de Jake causaban problemas. Con escepticismo, Brandon le respondió:

– ¿Qué idea tienes?

En este momento, abuelita interrumpió la conversación:

– Braaaandon...¿Quieres comer?

– Sí, abuelita. Un momento, por favor.

Brandon repitió su pregunta:

   – ¿Qué idea tienes, Jake?

   – ¡Una idea perfecta!

   – ¿Qué idea? –Brandon le preguntó impacientemente.

Ahora, Brandon se puso muy nervioso. Quería conducir el carro de su padre, pero ¡conducir su carro era prohibido! Brandon no quería problemas, pero quería saber cual era la idea de Jake. Por fin, Jake le respondió:

   – Si el Buick no funciona, tú puedes conducir el carro de tu padre.

   – Pero el Buick funciona perfectamente.

   – Desconecta un cable del motor y cuando el Buick no funci—

Otra vez, abuelita interrumpió la conversación:

   – ¡Braaaandon!... ¿Qué haces? ¿No vas a comer?

– Sí, Abuela –Brandon le respondió impacientemente– Voy a comer en un minuto.

Ahora, Brandon se puso ¡súper nervioso! Jake tenía una idea magnífica, pero la idea era muy deshonesta también. Brandon le habló a Jake nerviosamente:

– Mi abuela me está llamando. Tengo que irme.

– ¿Qué vas a hacer?

– No sé.

Jake quería convencer a Brandon a conducir el carro, así que le dijo:

– Mi idea es perfecta. Puedes conducir el carro.

– Nada es perfecto... Tengo que irme. Adiós.

«clic»

Brandon fue a hablar con su abuela. Ella estaba en la cocina¹ preparando café.

– Buenos días, abuelita.

– Buenos días, Brandi. ¿Qué quieres comer?

– Cereal.

---

¹*cocina - kitchen*

Brandon habló con su abuela y comió el cereal rápidamente. Su abuela le comentó:
- Brandi, ¡tú comes muy rápido!
- Sí, abuelita. Tengo que ir a la escuela un poco temprano.
- ¿Por qué?
- Aaaaa...Porque tengo que hablar con el Señor Muñoz sobre mi proyecto de biología.

Brandon realmente no tenía que hablar con el Sr. Muñoz. Comió rápidamente porque estaba nervioso. Estaba contemplando la idea de Jake. Brandon se levantó rápidamente y le dijo a su abuela:
–Tengo que irme. Adiós abuelita.

Su abuela le tocó la cabeza suavemente y le respondió:

– Adiós Brandi.

Brandon entró en el garaje y miró el carro de su padre. Él lo tocó suavemente. ¡Era un carro increíble! Era un T-bird azul del año 1956. ¡Era maravilloso! ¡Brandon realmente quería conducirlo! ¡Qué oportunidad fantástica! Brandon se puso súper nervioso y rápidamente desconectó un cable del motor del Buick.

Entró en la casa y le gritó a su abuela:

– ¡Abuelita!... Abuelita, el carro no funciona.

– ¿Qué?

– El motor del Buick no funciona. ¿Qué voy a hacer?

– ¡Ay! Yo tengo que ir al doctor, así que no puedes conducir mi carro.

Brandon se puso súper feliz y le exclamó:

– Pues...tengo que conducir el carro de mi padre.

– Sí. No hay otra opción.

Capítulo 4
El accidente horrible

Brandon se fue en el carro de su padre. ¡Estaba súper feliz! No fue directamente a la escuela. Pasó enfrente de la casa de una chica muy atractiva. Ella se llamaba Jamie y vivía en la Avenida Remington. Brandon pasó por la avenida y miró la casa intensamente. Quería ver a Jamie. Quería impresionarla con su carro elegante. Desafortunadamente, Brandon no la vio, así que fue a la escuela.

Al llegar a la escuela, Brandon tenía la música a todo volumen. Todos los estudiantes lo miraron con admiración. Todos le gritaron entusiasmadamente: «¡Qué carro increíble! ¡Tu carro es fantástico! ¡Quiero conducir tu carro!». Jamie miró a Brandon y miró su carro. Ella estaba muy admirada. Ella quería hablar con Brandon. Brandon parqueó el carro y Jamie fue a hablarle.

    – Hola Brandon. ¡Tu carro es fantástico!

    – Gracias.

    – ¿Quieres ir a O'Donald's después de la escuela?

Brandon se puso nervioso porque tenía que ir directamente a casa después de la escuela. Él le respondió nerviosamente:

    – Aaaaa..Sí. Está bien. Quiero ir.

    – ¿Vamos en tu carro fantástico?

    – Sí, vamos en mi carro.

Durante todo el día, los estudiantes hablaron del carro magnífico de Brandon. Todos querían conducir el carro, incluso Jamie y Jake. Después de la clase de matemáticas, Jake le preguntó a Brandon:

    – ¿Puedo conducir el carro de tu padre después de la escuela?

    – Lo siento, Jake, pero voy a O'Donald's con Jamie.

Jake estaba enojado y no le habló durante el resto del día.

Después de la escuela, Jamie fue a encontrarse con Brandon. Ella lo encontró en su carro. Él hablaba por teléfono:

    – Sí, abuelita. Voy directamente a casa después de hablar con el Sr. Muñoz...Sí, abuelita...Adiós.

Jamie miró a Brandon y miró su carro. Ella le dijo románticamente:

– Brandon, tu carro es muy elegante.

– Gracias, Jamie. ¿Quieres ir a O'Donald's ahora?

– Sí.

Jamie y Brandon salieron de la escuela. Cuando ellos llegaron a O'Donald's, Brandon pasó por el 'autoservicio' y ordenó dos hamburguesas y papas fritas[1]. El chico le preguntó:

> – ¿Quiere una orden súper grande por sólo treinta y nueve centavos más?

[1] *papas fritas - French fries*

– Está bien. Quiero mucha salsa de tomate[2] también, por favor.

Cuando llegó su orden, Brandon parqueó el carro. Brandon y Jamie se quedaron en el carro, comiendo sus hamburguesas y sus papas y hablando felizmente. Brandon quería más salsa de tomate y le dijo a Jamie:

– Pásame un paquete de salsa de tomate, por favor.

Mientras Jamie le pasaba unos paquetes de salsa de tomate, ¡ocurrió un accidente horrible! ¡Era un accidente absolutamente trágico! Un paquete de salsa de tomate explotó como un volcán. ¡Fue una

[2]*salsa de tomate - catsup/ketchup*

explosión enorme! ¡Fue una explosión violenta! ¡La salsa de tomate explotó por todo el carro! Brandon miró la explosión y gritó:

– ¡Qué desastre! ¡¿Qué voy a hacer?!

¡Qué desastre!
¡¿Qué voy a hacer?!

– Me imagino que vas a limpiar el interior del carro –Jamie le respondió sarcásticamente.

Brandon no le respondió y Jamie notó su enojo. Un poco enojada, Jamie le dijo:

– Lo siento, Brandon. Fue un accidente.

– Sí, yo sé...sólo fue un accidente. Lo siento.

Brandon quería pretender que no era un desastre total, así que él continuó comiendo las papas y hablando con Jamie. Después de una hora, Brandon condujo a la casa de Jamie y le dijo: «Adiós». Entonces, fue rápidamente a la casa para limpiar el interior del carro.

Capítulo 5
Una misión importante

Al llegar a la casa, Brandon fue directamente a su dormitorio para consultar a Jake sobre su problema. Lo llamó por su teléfono celular:

– Jake, necesito tu ayuda.

Jake estaba enojado y no le respondió. Brandon le habló con una voz de desesperación:

– Jake, ¡por favor! Ocurrió un accidente en el carro y ¡necesito tu ayuda!

– ¡¿Qué?! ¡¿Ocurrió un accidente?! –Jake le preguntó sarcásticamente.

Brandon le respondió impacientemente.

– Jake, no es una situación cómica.

– ¿Qué pasó?

– Pues, Jamie y yo fui--

Una voz familiar interrumpió su conversación:

– Braaaandon... –llamó su abuela.

Brandon le respondió sin entusiasmo.

– Sí, abuelita.

– Vamos a comer.

– Un minuto –Brandon le respondió impacientemente.

Brandon no quería comer. ¡Quería limpiar el carro! Habló rápidamente y le explicó el accidente a Jake. Entonces, fue rápidamente a la cocina. Su abuela le hizo muchas preguntas, pero Brandon no quería conversar. Brandon pensaba en el accidente. ¡Tenía que limpiar el interior del carro!, pero ¿cómo? En este momento, Brandon recibió un texto de Jake: «El vinagre es bueno para limpiar la salsa de tomate».

Brandon no quería comer y no quería hablar. ¡Quería buscar el vinagre! Después de comer, su abuela miró la televisión y Brandon buscó el vinagre. Brandon lo buscó en el garaje. Buscó por todas partes, pero no lo encontró. Entonces, lo buscó en la cocina. Mientras lo buscaba, su abuela entró en la cocina y le preguntó:

— ¿Qué buscas?

— Vinagre.

— ¡¿Vinagre?! ¿Para qué?

Brandon inventó una excusa:

— Lo necesito para mi proyecto de biología.

— ¡Qué proyecto interesante!

Su abuela le ayudó a buscar el vinagre e inmediatamente lo encontró.

Brandon se puso feliz y gritó:

– ¡Eres una ángel, abuelita!

Su abuela le tocó la cabeza y le respondió:

– Gracias, Brandi. ji ji ji

Entonces, ella fue a su dormitorio y Brandon fue a limpiar el carro. Miró el interior del carro y pensó: «¡Qué desastre!». Brandon echó el vinagre en una esponja de limpiar. Limpió por diez minutos, pero sin resultados. La salsa de tomate no salía. Entonces, echó más vinagre en la esponja de limpiar y continuó limpiando. Limpió por diez minutos más, pero sin resultados. ¡La salsa de tomate todavía no salía!

Brandon estaba desesperado y echó vinagre directamente en la salsa de tomate. ¡Echó vinagre por todo el carro! Limpió por dos horas, y resultó...un olor horrible! Ahora tenía dos proble-

mas: ¡salsa de tomate por todas partes y un olor horrible a vinagre!

Brandon fue a su dormitorio y se comunicó con Jake por un texto: «¡Estoy desesperado! El carro es un desastre. ¡Ayúdame!». Jake le respondió: «Mañana, después de la escuela, vamos a 'Carros Limpios'». Brandon estaba completamente exhausto por el estrés, pero no podía dormirse. Casi no durmió durante la noche.

En la mañana, Brandon se levantó a las siete. No comió y casi no habló con su abuela. Sólo le dijo:

> – Abuelita, voy a hacer un experimento en el laboratorio de biología después de la escuela.
> – ¿Un experimento con el vinagre?
> – Aaaa...Sí. Con el vinagre.
> – Quiero un informe completo del experimento –le respondió su abuela.

Brandon le dijo «Adiós» y se fue para la escuela. Todo el día pensó en limpiar el carro. Habló un poco con Jamie. Ella quería ir a Café Grande pero Brandon le dijo que tenía que limpiar el carro.

Después de la escuela, Brandon se encontró con Jake y ellos fueron a 'Carros Limpios'. Cuando llegaron, el representante le preguntó a Brandon:

     – ¿Qué necesita?

     – Necesito una limpieza del interior del carro.

El representante miró en el carro y exclamó:

     – ¡Ay, ay, ay! ¡Qué olor horrible! ¡Qué desastre!

     – Sí, yo sé –le respondió Brandon, un poco enojado– ¿Cuánto cuesta limpiarlo?

     – Doscientos dólares para limpiarlo y cien dólares para desodorizarlo.

     – ¡Trescientos dólares! –le exclamó Brandon.

Brandon no tenía otra opción. Los expertos limpiaron el carro. Después, Brandon inspeccionó el interior. Ahora el carro quedó limpio y ya no tenía el olor a vinagre.

Capítulo 6
¡Un beso increíble!

Con el carro limpio, Brandon regresó a casa. Llegó a la casa a las cinco y treinta de la tarde, pero no entró en la casa inmediatamente. Se quedó en el carro unos minutos para enviar un texto a Jamie: «¿Café Grande mañana @ 7:30?»...«Sí». «Voy por ti a las 7:15»...«Perfecto».

Brandon estaba muy feliz. Entró a la casa y encontró a su abuela en la cocina.

– Hola abuelita.

– Hola. ¿Cómo estuvo el experimento?

– Aaaa...bien.

– ¿Cuál fue el resultado?

– Aaaa...pues...sólo hice las preparaciones
–le respondió Brandon, un poco nervioso–
Voy a hacer el experimento mañana.

Brandon y su abuela conversaban mientras su abuela preparaba tacos. Brandon miraba los tacos y ¡quería comerlos! ¡Él tenía mucha hambre!

– ¿Tienes hambre? –su abuela le preguntó.

– Sí, ¡tengo mucha hambre!

Después de comer, Brandon fue a su dormitorio. ¡Estaba muy cansado! No se conectó en Facebook, no envió textos y no llamó a sus amigos. Rápidamente, se durmió. Durmió toda la noche.

En la mañana, Brandon se levantó a las seis y

treinta. Se levantó temprano porque iba a Café Grande con Jamie. Él salió de la casa a las siete. Cuando salió, su abuela todavía dormía.

Brandon condujo a la casa de Jamie y llegó a las siete y diez. Cuando llegó, Jamie estaba en frente de la casa.

– Hola Jamie.

– Hola –ella le respondió románticamente.

Los dos salieron para Café Grande y al llegar, Brandon pasó por el autoservicio. Ordenó dos frappuccinos y entonces, parqueó el carro. Brandon y Jamie se quedaron en el carro para tomar los frappuccinos. Ellos hablaron de la escuela y los amigos e hicieron planes de ir a un restaurante mexicano el viernes en la noche. Hablaron mucho y entonces ocurrió un momento de silencio.

Brandon pensó en besar a Jamie. Se imaginaba un beso romántico, cuando Jamie exclamó:

– ¡Ay! ¡Ya son las siete y cincuenta y cinco!
¡Tenemos que irnos!

Brandon realmente no quería salir, pero sí ¡quería besar a Jamie! Sin embargo[1], él dirigió[2] el carro hacia atrás. Mientras él dirigía el carro hacia atrás, Brandon pensaba: «Quiero un beso. ¿Cuándo vamos a besarnos?». En ese momento, ocurrió un evento increíble: «¡Pum!». Desafortunadamente, no fue un beso. ¡Fue un choque! El carro de su padre chocó con otro carro.

No era un choque violento, pero para Brandon ¡era un choque enorme! Brandon se puso frenético.

[1]*sin embargo - nevertheless*
[2]*dirigió - s/he directed, guided*

Gritó: «¡Nooooooo!». El chofer del otro carro miró a Brandon y le dijo:

- Sólo fue un choque pequeño.
- ¡¿Un choque pequeño?! –Brandon le gritó.
- Sí...El choque fue pequeño. Fue muy pequeño. Fue más como un...como un...beso.
- ¡¿Un BESO?!
- Sí. Los carros no se chocaron. ¡Se besaron!
  ji ji ji

Brandon miró el carro de su padre y ¡vio un rasguño[3]! El rasguño era pequeño, pero para Brandon, ¡era enorme! Él exclamó:

- ¡Ay! ¡Mira el rasguño!
- Es pequeño –le dijo Jamie calmadamente.
- ¡El rasguño es enorme! –le respondió Brandon con voz de pánico.
- ¡Cálmate, Brandon! Lo puedes reparar.

El otro chofer miró su carro y le dijo a Brandon:

- Mi carro está perfecto. No fue más que un beso pequeño. Sólo fue un besito. ji ji ji

Entonces, el chofer se fue. Brandon se quedó en silencio mirando el rasguño y contemplando cómo repararlo.

[3]*un rasguño - a scratch*

Capítulo 7
Una reparación urgente

Cuando Brandon y Jamie llegaron a la escuela, todos los estudiantes estaban en el gimnasio para una presentación especial. Al entrar al gimnasio, Brandon buscó a Jake, pero no lo encontró. Brandon le envió un texto: «¿Dónde estás?». « En casa. No fui a la escuela», Jake le respondió. Inmediatamente, Brandon le envió otro texto: «Necesito ayuda».

Brandon y Jake se comunicaron por textos. Brandon le explicó del choque y del rasguño que resultó. Jake buscó reparadores de carros en el Internet. Le envió tres recomendaciones: «Reparaciones Expertas, Hermanos Reparadores y Pintura Perfecta».

Después de la escuela, Brandon fue a buscar un reparador. Fue a 'Reparaciones Expertas' y preguntó:

– ¿Cuánto cuesta reparar un rasguño?

El reparador miró el rasguño y le respondió:

– Quinientos dólares.

– ¡Ay! ¡Cuesta mucho! –exclamó Brandon.

Brandon salió para buscar otro reparador. Fue a 'Pintura Perfecta' y les dijo:

– Necesito una reparación de un rasguño pequeño. ¿Cuánto cuesta repararlo?

El reparador miró el rasguño y le respondió:

– Seiscientos cincuenta.

– ¡Cuesta muchísimo!

Brandon salió para buscar otro reparador. Fue a 'Hermanos Reparadores' y les dijo:

– ¿Cuánto cuesta reparar un rasguño muy pequeño?

El reparador miró el rasguño y le respondió:

– No sé exactamente. Tengo que hacer unos cálculos y hablar con mis hermanos. Mi hermano, Gerardo, va a llamarte más tarde con un estimado.

Brandon salió y regresó a casa. Llegó a la casa a las cinco y treinta. Cuando entró en la casa, su abuela estaba en la cocina preparando hamburguesas.

– Hola abuelita.

– Hola Brandi. ¿Cómo fue tu día?

– Bueno.

– ¿Y cómo te fue con el experimento?

– Aaaa...pues...el exper-- «ring ring»

En este momento, su teléfono celular interrumpió la conversación. «Ring ring». Brandon le dijo «Perdón» a su abuela y fue a su dormitorio para hablar por teléfono.

Bueno

– Bueno.
– Habla Gerardo de 'Hermanos Reparadores'. Necesito hablar con Brandon, por favor.
– Sí, habla Brandon.
– Tengo el estimado.
– ¿Sí?...
– Doscientos cincuenta dólares.

Brandon estaba contento con el estimado. Le dijo «Gracias» a Gerardo e inmediatamente llamó a Jake. Ellos hablaron del accidente, las reparaciones y sus planes para ir a un restaurante con Jamie el viernes. Mientras hablaban, una voz familiar interrumpió la conversación:

– Braaaandon...

¡BRAAAANDON!...

– Sí, abuelita. Un momento, por favor.

Brandon regresó a su conversación con Jake:

– ¿Cuándo vas a reparar el carro?

– Manana, después de la escuela. ¿Quieres ir conmigo?

– Sí.

La abuela de Brandon lo llamó otra vez:

– ¡Braaaandon!...

Rápidamente, Brandon confirmó los planes con Jake:

41

– Vamos mañana, después de la escuela.

– Está bien. Adiós.

Brandon fue a la cocina y habló con su abuela. Ella le hizo muchas preguntas y Brandon respondió a todas. Brandon no tenía mucha hambre y no comió mucho. Después de comer, miró la televisión y a las nueve, fue a su dormitorio. Estaba completamente exhausto y se durmió rápidamente.

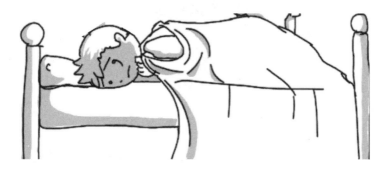

En la mañana, Brandon se levantó a las siete. Habló con su abuela y comió un poco de cereal. Entonces, salió para la escuela. Durante el día, habló con Jake sobre la reparación del carro. También habló con Jamie sobre los planes para el viernes. Brandon confirmó los planes: «Voy por ti a las seis».

Después de la escuela, Brandon y Jake fueron a

'Hermanos Reparadores'.

> – Hola. Soy Brandon. Hablamos por teléfono sobre la reparación del rasguño...
>
> – Sí. ¿Quieres hacer una cita[1] para repararlo?
>
> – ¿Necesito una cita?
>
> – Sí

Brandon se puso un poco nervioso y le respondió.

> – ¿No pueden hacerlo hoy?
>
> – Hoy, no. El lunes, podemos.

Brandon estaba desesperado. ¡Quería la reparación inmediatamente! Él se puso frenético y le preguntó a Jake:

> – ¡¿Qué voy a hacer?!
>
> – Brandon, ¡cálmate! Tengo una idea. ¡Tú y yo podemos repararlo!

Jake le explicó su idea. Entonces, ellos fueron a la tienda Walmart® para buscar pintura. Salieron de la tienda Walmart® con varias pinturas: pintura Rustolé, pintura Kryloff y un paquete de marcadores Sharpie®. Entonces, fueron a la casa de Jake para experimentar con las pinturas.

---

[1]*cita - appointment, date*

43

Ellos decidieron usar un marcador azul porque el color combinaba muy bien con el color del carro. Pintaron el carro con el marcador Sharpie® azul y el carro quedó casi perfecto.

Capítulo 8
Una cita indescriptible

Por fin, llegó el viernes. Eran las cinco y cuarenta y cinco y Brandon tenía que salir para la casa de Jamie. No quería llegar tarde y le dijo a su abuela:

    – Abuelita, tengo que salir.

    – ¿Adónde vas?

    – Al partido de fútbol americano.

    – Está bien, Brandi. Adiós.

Brandon salió para la casa de Jamie. Mientras conducía, pensaba en besarla. Pensó: «Si la noche es buena, posiblemente nos besaremos[1]». Cuando él llegó a la casa, Jamie corrió hacia el carro porque llovía un poco.

Brandon y Jamie fueron al restaurante y cuando llegaron, todavía llovía. Brandon parqueó el carro y los dos corrieron hacia la puerta porque ahora llovía un poco más. Entraron en el restaurante y ordenaron dos Coca colas®. Ellos estaban muy contentos, hablando y tomando Coca cola, cuando ¡una voz familiar invadió la conversación!

– ¡Ay, no! ¡Es mi abuela!

– ¿Dónde?

[1] *(nos) besaremos - we will kiss (each other)*

– ¡En la puerta!

La abuela de Brandon entró al restaurante con una amiga. Era obvio que Brandon no quería encontrarse con su abuela. Jamie estaba confusa y le preguntó a Brandon:

    – ¿Es un problema?

    – Sí. Abuela piensa que estoy en el partido
    de fútbol. ¡Tenemos que irnos!

En este momento, Brandon se levantó y le dijo:

    – ¡Corre!

Jamie se levantó y los dos salieron corriendo por la puerta de atrás. Llovía mucho. Al llegar al carro, ¡llovía a cántaros[2]! Jamie le gritó a Brandon:

    – ¡Rápido! Abre la puerta.

[2]*llovía a cántaros - it was raining cats and dogs*

47

Brandon quería abrir la puerta, pero no podía encontrar las llaves[3]. ¡No las tenía! Buscó las llaves por unos minutos, pero no las encontró. Entonces, Brandon le dijo a Jamie:

– Jamie, tú tienes que entrar en el restaurante para buscar las llaves. Yo no puedo entrar.

Jamie fue a buscar las llaves en el restaurante. Mientras ella las buscaba, Brandon miró en el carro. Él encontró las llaves, pero tenía un problema: las llaves estaban en el carro y ¡las puertas estaban aseguradas[4]!

Cuando Jamie regresó, Brandon le dijo:

– Encontré las llaves. Están en el carro.

– ¡Qué bueno!

– No es bueno. Las puertas están aseguradas.

– ¿Qué vas a hacer?

Brandon buscó su teléfono celular y le respondió:

– Voy a llamar a Expertos en Puertas Aseguradas.

Brandon no tenía su teléfono celular. Él lo

---

[3]*llaves - keys*
[4]*aseguradas - locked*

buscó, pero no lo encontró. Miró en el carro y ¡el teléfono estaba en el carro también!

> – Jamie, mi teléfono está en el carro. Puedo usar el tuyo⁵, por favor.

> – No lo tengo. Está en casa.

Todavía llovía a cántaros, así que Jamie le dijo a Brandon:

> – Vamos a entrar en el restaurante. ¡Está lloviendo a cántaros!

> – Yo no puedo entrar, pero tú puedes. Entra y usa el teléfono del restaurante. Llama a Expertos en Puertas Aseguradas.

Jamie entró en el restaurante y llamó a Expertos en Puertas Aseguradas. Brandon se quedó con el carro. Una hora más tarde, todavía llovía a cántaros y el representante de Expertos en Puertas Aseguradas llegó al restaurante. Él tenía un aparato especial para abrir puertas aseguradas. Él abrió la puerta con el aparato, pero cuando la abrió, hizo un rasguño en la puerta. Él miró el rasguño y le dijo a Brandon:

> – Normalmente cuesta cien dólares abrir puertas aseguradas, pero hoy no cuesta nada.

⁵tuyo - *yours*

Entonces, él se fue. Brandon miró el rasguño y miró a Jamie. Entonces, gritó:

– ¡Aaaaaayyyy! ¡Este carro va a arruinarme!

La cita fue una catástrofe y obviamente, Jamie NO le dio un beso.

Capítulo 9
Una foto especial

El sábado, en la mañana, Brandon se levantó a las nueve. Buscó el marcador Sharpie® azul para pintar el rasguño en la puerta del carro. Mientras buscaba el marcador, pensaba en los eventos de la semana. Pensaba en el T-bird y en Jamie. Brandon se imaginaba un beso romántico cuando el teléfono de la casa interrumpió su fantasía. «Ring ring»

– Bueno.

51

– Hola Brandon –le respondió su madre.

– ¡Hola mamá!

– Brandon, lo siento, pero el vuelo está cancelado –le dijo su madre– No vamos a regresar hasta mañana.

– ¿Hasta mañana? –Brandon le respondió felizmente.

– Sí, hasta mañana. Por favor, quiero hablar con abuelita.

Brandon se fue corriendo para buscar a su abuela.

– ¡Abueeeeela! Mamá quiere hablarte.

Brandon le dio el teléfono a su abuela y se puso muy feliz. Ahora, él tenía otra oportunidad de salir con Jamie. Le envió unos textos a ella: «Lo siento. Yo sé que la cita del restaurante fue horrible»...Ella no le respondió. «Quiero otro chance»... «¿Quieres salir conmigo esta noche?»... Desesperado, Brandon le envió un texto final: «Si me das otro chance, puedes conducir mi carro».

Un minuto después, Brandon recibió dos textos: «Lo siento. Estaba durmiendo». «Vamos a la fiesta de Adriana. Ven por mí a las siete». Brandon se puso súper feliz y pasó todo el día pensando en

Jamie. A las seis y cuarenta y cinco, Brandon iba a salir de la casa. Le dijo a su abuela:

– Abuelita, ya me voy.

– ¿Adónde vas?

– Voy a la casa de Jake –Brandon le respondió nerviosamente.

– Regresa a las doce, por favor.

– Está bien. Adiós abuelita.

Brandon se fue a la casa de Jamie. Cuando llegó, su padre estaba enfrente de la casa. El padre le dijo a Brandon:

– Hola. Me llamo Charles. Soy el padre de Jamie.

– Hola. Me llamo Brandon.

En este momento, Jamie salió de la casa. Corrió a donde su padre, le dio un beso y le dijo «Adiós». Entonces, Brandon y Jamie salieron para la fiesta. Mientras Brandon conducía, Jamie habló mucho. Habló de su familia, de sus amigas y de la escuela. Ella no mencionó nada de conducir el carro y Brandon estaba feliz porque realmente, no quería que ella lo condujera[1].

[1]*no quería que lo condujera - he did not want that she drive it*

Después de quince minutos, llegaron a la casa de Adriana. Había muchos carros elegantes enfrente de la casa. La casa era muy grande y muy elegante. Brandon y Jamie entraron a la casa y estaban muy admirados. ¡Qué casa magnífica!

En la casa, había muchos chicos. Un grupo de chicos estaba en la cocina. ¡Había mucha comida deliciosa y ellos la comían felizmente! Unos chicos miraban videos en Youtube y otros bailaban música romántica.

– ¿Quieres bailar? –Brandon le preguntó a Jamie.

– Sí.

Ellos bailaban música romántica y Brandon pensaba en besar a Jamie. Mientras bailaban, una chica sacó una foto² de ellos. Jamie miró la foto y exclamó:

– ¡Es una foto muy especial!

Jamie y Brandon estaban muy contentos. ¡Era una noche fabulosa! A las once y cuarenta, Brandon notó la hora y exclamó:

– ¡Ay! ¡Ya son las once y cuarenta! ¡Tenemos que irnos!

Jamie y Brandon se fueron corriendo. Cuando llegaron al carro, Jamie le dijo a Brandon:

– Yo quiero conducir. ¿Puedo?

Brandon no quería que Jamie condujera, pero no quería decirle «no». Así que Brandon le respondió:

– Está bien.

Jamie se puso súper feliz y reaccionó con ¡un beso! ¡Por fin, le dio un beso a Brandon! Brandon se puso muy, muy feliz. Pensó: «¡Qué beso excelente!». Entonces, Jamie salió conduciendo el carro. Ella condujo rápido y Brandon se puso un poco nervioso.

²*sacó una foto - s/he took a photo*

– ¡Cálmate Brandon! Soy una chofer buena.

ji ji ji.

Brandon se calmó y Jamie condujo más rápido.

Al instante, «¡PUM!», había un flash brillante.

– ¿Qué fue eso?– Jamie le preguntó curiosamente.

– Otra foto especial.

Capítulo 10
El nuevo Houdini

Brandon llegó a la casa un poco tarde. Cuando entró en la casa, su abuela ya estaba dormida. Brandon fue a su dormitorio y envió un texto a Jake: «¡Qué noche excelente! Por fin, ella me dio un beso. :)». Jake y Brandon conversaron por textos durante treinta minutos. Hablaron de los eventos de la semana, del beso increíble y de la 'foto especial'. Al final de la conversación, Jake le comentó a Brandon: «Si tú te escapas de todos los problemas de esta semana, ¡te voy a llamar Houdini!».

Después de la conversación, Brandon se conectó en Facebook y había un comentario de Jake: «Brandon Brown es un gran artista de escapes. Llámalo 'Houdini'». Brandon respondió: «JA JA» y se desconectó de Facebook. Muy pronto se durmió.

En la mañana, Brandon se levantó muy contento. Él entró en la cocina y su abuela estaba preparando panqueques. Mientras Brandon y su abuela los comían, sus padres llegaron a casa. Al entrar en la casa, ellos gritaron:

– ¡Hola Brandon! ¡Hola abuelita!

– ¡Hola! –los dos les respondieron.

Los padres de Brandon hablaron de sus vacaciones y les preguntaron a Brandon y a abuelita sobre la semana en casa. Abuelita les respondió sinceramente:

– Todo fue muy bueno. ¡Brandon fue un ángel!

La familia habló por mucho tiempo. Entonces, abuelita salió para regresar a su casa. La madre de

Brandon inspeccionó la casa y su padre fue al garaje para inspeccionar los carros. Inspeccionó el Buick y reparó el cable. Entonces, inspeccionó su 1956 T-Bird.

Mientras lo inspeccionaba, Brandon entró en el garaje. Brandon miró a su padre y se puso muy nervioso. Su padre inspeccionó el carro por una eternidad y por fin, entró en la casa. Brandon se calmó y entró en la casa también. Brandon y sus padres pasaron el resto del día hablando y mirando fotos de las vacaciones. Al final del día, todos estaban muy contentos.

El nuevo Houdini

Durante los días siguientes[1], Brandon anticipaba las consecuencias de todos los problemas que tuvo durante las vacaciones, pero ¡no ocurrió nada! No tuvo ni una consecuencia! Brandon y sus amigos celebraban los 'escapes' fabulosos de Brandon Brown y todos los estudiantes lo llamaban 'Houdini'. Brandon estaba muy feliz...hasta el viernes.

Brandon llegó a la casa a las cinco y treinta y fue a su dormitorio. Conversaba con sus amigos en Facebook.

[1]siguientes - following

60

También conversaba con Jake por textos: «Houdini, ¿qué pasa?». «Nada»... Mientras Brandon conversaba con Jake, su padre estaba en la cocina mirando el correo[2]. Había un sobre[3] especial. Era un sobre de la policía. Su padre abrió el sobre y vio...¡una foto especial! Su padre miró la foto y ¡se puso furioso! El gritó con una voz de león:

– ¡BRAAAANDON!

[2]*correo - mail*
[3]*sobre - envelope*

Departamento de Policía Multa de tránsito	
	Nombre Brown, Benjamim
	Dirección 555 Calle 5 Denver, CO 55555
	Vehículo 1956 Thunderbird, azul

Velocidad marcada	Velocidad actual	Multa
45	67	$350

Fecha	Hora	Cámara
8 de mayo	11:49 p.m.	#22

Brandon notó la furia en la voz y rápidamente envió un texto a Jake: «¡Ya no me llamo Houdini!».

~ El fin ~

Glosario

abre - s/he opens

abrió - s/he opened

abrir - to open

abuela - grandmother

abuelita - grandma (term of endearment)

adiós - good-bye

adónde - to where

ahora - now

al - to the

amigo(a) - friend

año(s) - year(s)

aseguradas - locked

así que - so

atrás - behind

ayuda - s/he helps, help *(noun)*

ayúdame - help me

ayudó - s/he helped

azul - blue

bailaban - they danced, were dancing

bailar - to dance

besar(la) - to kiss (her)

besaron - they kissed

besito - a little kiss

beso - a kiss

bien - well, fine

bueno(a) - good

busca - s/he looks for

buscaba - s/he looked for, was looking for

buscar - to look for

buscas - you look for

buscó - s/he looked for

cabeza - head

cama - bed

cansado - tired

casa - house

casi - almost

chica - girl

chico - boy

chocaron - they crashed, collided

chocó - s/he crashed, collided

choque - crash, collision

cien - hundred (100)

cinco - five (5)

cinco y cuarenta y cinco - 5:45

cinco y treinta - 5:30

cincuenta - fifty (50)

cita - date, appointment

Glosario - (Past Tense)

cocina - kitchen

comer(los) - to eat them

comes - you eat

comían - they ate, were eating

comida - food

comiendo - eating

comió - s/he ate

cómo/como - how

con - with

conducía - s/he drove, was driving

conduciendo - driving

conducir(lo) - to drive it

condujera - s/he drove *(subjunctive)*

condujo - s/he drove

conmigo - with me

contigo - with you

corre - s/he runs, Run! *(command)*

corrieron - they ran

corriendo - running

cuál/cual - which

cuándo/cuando - when

cuánto - how much

cuarenta - forty (40)

cuesta - it costs

das - you give

de - of, from

decir(le) - to say to (him/her)

del - of/from the

después - after

día(s) - day(s)

diecisiete - seventeen

diez - ten

dijo - s/he said

dio - s/he gave

dirigía - s/he was directing, guiding

dirigió - s/he directed, guided

doce - twelve (12)

domingo - Sunday

dónde/donde - where

dormía - s/he was sleeping

dormida - asleep

dormir - to sleep

dormirse - to fall sleep

dos - two (2)

doscientos - two hundred (200)

durante - during

durmiendo - sleeping

durmió - s/he slept

e - and

echó - poured

él - he

el - the

ella - she

ellos - they

embargo - nevertheless

en - in, on

encontré - I encountered, found

encontró - s/he encountered, found

enfrente de - in front of

enojado(a) - angry

enojo - anger

entonces - then

enviar - to send

envió - s/he sent

era - s/he, it was

eran - they were

eres - you are

escuela - school

ese/eso - that

esta(e) - this

estaba - s/he was

estaban - they were

están - they are

estás - you are

estoy - I am

estuvo - s/he, it was

feliz - happy

felizmente - happily

fiesta - party

fue - s/he went, s/he it was

fueron - they went

fui - I went

gracias - thank you

grande - big

gritándole - yelling at him

gritaron - they yelled

gritó - s/he yelled

había - there was, there were

habla - s/he speaks

hablaba - s/he was speaking

hablaban - there were speaking

hablamos - we spoke

hablan - they speak

hablando - speaking

hablar(le) - to speak/talk (to him/her)

hablaron - they spoke

(no) hables - don't speak

habló - s/he spoke

hacer(lo) - to do, make (it)

haces - you do, make

hacia - toward

hambre - hunger

hasta - until

hay - there is, are

hermano(a) - brother (sister)

Glosario - (Past Tense)

hice - I did, made
hicieron - they did, made
hizo - s/he did, made
hola - hello, hi
hoy - today
iba - s/he went, was going
iban - they went, were going
ir - to go
ir(me) - to leave (I)
ir(nos) - to leave (we)
la(s) - the
le(s) - him/her (them)
levantó - s/he got up
limpian- they clean
limpiando- cleaning
limpiar(lo) - to clean (it)
limpiaron - they cleaned
limpieza - cleaning *(noun)*
limpió - s/he cleaned
limpio(s) - clean *(adj.)*
llovía - it rained, was raining
lloviendo - raining
lo - it
lunes - Monday
lláma(lo) - call (him) *(command)*
llamaba - s/he called, was calling

llamaban - they called, were calling
llamando - calling
llamar(te) - to call (you)
(me) llamo - I call myself
llamó - s/he called
llaves - keys
llegar - to arrive
llegaron - they arrived
llegó - s/he arrived
madre - mother
malas - bad
mañana - tomorrow
mi(s) - my
mientras - while
mira - look at *(command)*
miraba - s/he was looking at
miraban - they were looking at
mirando - looking at
miraron - they looked at
más - more
muchísimo - very much
muy - very
nada - nothing
nadie - nobody
ni - neither
noche - night
nueve - nine (9)

once - eleven

once y cuarenta - 11:40

otra vez - another time, again

padre - father

padres - parents

para - for, in order

partido - game

pasaba - s/he was passing

pasaron - they passed

pensando - thinking

pensó - s/he thought

pequeño - small

pero - but

piensa - s/he thinks

pintar - to paint

pintaron - they painted

pintura(s) - paint(s) *(noun)*

poco - few, a little

podemos - we are able

podía - s/he was able

por - for

por fin - finally

porque - because

preguntaron - they asked (a question)

pregunta(s) - question(s) *(noun)*

preguntó - s/he questioned, asked a question

pronto - soon

puede - s/he is able

pueden - they, you pl. are able

puedes - you are able

puedo - I am able

puerta(s) - door(s)

pues - well *(interjection)*

qué - what

que - that

¿Qué pasa? - What's up?, What's happening?

(se) queda - s/he remains, stays

quedar - to end up

quedarse - to stay, remain

(se) quedaron - they stayed, remained

(te) quedes - you stay, remain

quedó - s/he, it ends up

quería - s/he wanted

querían - they wanted

quiere - s/he wants, you (formal) wants

quieres - you (informal) want

quiero - I want

quince - fifteen (15)

Glosario - (Past Tense)

quinientos - five hundred (500)

rasguño - scratch

reglas - rules

regresa - return *(command)*

regresar - to return

regresó - s/he returned

sábado - Satruday

saber - to know (a fact)

salía - s/he was leaving (a place)

salieron - they left (a place)

salió - s/he left (a place)

salir - to leave (a place)

sé - I know (a fact)

seis - six

seis y treinta - 6:30

seiscientos - six hundred

semana - week

señor/Sr. - mister, Mr.

si - if

sí - yes

siempre - always

lo siento - I am sorry

siete - seven (7)

siete y cincuenta y cinco - 7:55

siete y diez - 7:10

siguiente(s) - following

sin - without

sobre - about

sólo - only

son - they are

soy - I am

su(s) - his/her

también - also, too

tarde - late, afternoon

temprano - early

tenemos - we have

tener - to have

tengo - I have

tenía - s/he had

ti - you

tiempo - time

tienda - store

tiene - s/he has

tienes - you have

tocó - s/he touched

todo(a) - all

todos(as) - everyone

todavía - still

tomando - drinking

tomar - to drink

treinta - thirty (30)

tres - three (3)

trescientos - three hundred (300)

tú - you

tu - your
tuyo - yours
un(a) - a
unos - some
va - s/he goes
vamos - we go
van - they go
vas - you go
veinte - twenty (20)
ven - come *(command)*
venir - to come
ver - to see
viene - s/he comes
viernes - Friday
vino - s/he came
vio - s/he saw
vivía - s/he lived, was living
voy - I go
voz - voice
y - and
ya - already, anymore
yo - I

Cognados

absolutamente - absolutely
absoluto - absolute
accidente - accident
admiración - admiration
admirados - admired (impressed)
adoro - I adore
adulto - adult
americano - American
anticipa - s/he anticipates
anticipaba - s/he anticipated
apartamento - apartment
aparato - apparatus
arruinarme - to ruin me
artista - artist
atractiva - attractive
auto - auto
autoservicio - auto-service (drive through)
avenida - avenue
bebé - baby
biología - biology
brillante - brilliant
cable - cable
café - café (coffee)
cálculos - calculations

calma - calm
cálmate - calm (yourself) down
calmó - s/he calmed down
calmadamente - calmly
cancelado - canceled
carro(s) - car(s)
catástrofe - catastrophe
causan - they cause
causaban - they caused
celebraban - they celebrated
celebran - they celebrate
celular - cellular
centavos - cents
cereal - cereal
chance - chance
chofer - chauffeur, driver
clase - class
clic - click
color - color
combina - combine
comenta - s/he comments
comentario - comment
cómico(a) - comical, funny
completamente - completely
completo - complete

Cognados

computadora - computer

comunicaban - they communicated, were communicating

comunica(n) - (they) communicate

comunicar(se) - to communicate (with each other)

conducir - to conduct, drive

conecta - s/he connects

conectó - s/he connected

confirma - s/he confirms

confirmó - s/he confirmed

confusa - confused

consecuencia(s) - consequence(s)

consultar - to consult

contemplando - contemplating

contento(s) - content, happy

continúa - s/he continues

continuó - s/he continued

convencer - to convince

conversación - conversation

conversar - to converse

curiosamente - curiously

deciden - they decide

decidieron - they decided

deliciosa - delicious

desafortunadamente - unfortunately

desastre - disaster

desconecta - disconnect

desconectó - disconnected

desesperación - desperation

desesperado - desperate

deshonesta - dishonest

desodorizar(lo) - deodorize (it)

directamente - directly

doctor - doctor

dólares - dollars

dormitorio - dormitory, bedroom

elegante - elegant

encontrar - to encounter

enorme - enormous

entrar - to enter

entusiasmadamente - enthusiastically

entusiasmo - enthusiasm

es - s/he is

escapas - you escape

escapes - escapes *(noun)*

escepticismo - skepticism

especial - special

esponja - sponge

estimado - estimate

estrés - stress

estricta - strict

estudiantes - students

eternidad - eternity

evento - event

exactamente - exactly

excelente - excellent

exclama - exclaim

exclamó - exclaimed

excusa - excuse

exhausto - exhausted

experiencia - experience

experimentar - to experiment, to experience

experimento - experiment

expertas - experts

explica - s/he explains

explicó - s/he explained

explosión - explosion

explota - it explodes

explotó - it exploded

fabuloso(a) - fabulous

familia - family

familiar - familiar

fantasía - fantasy

fantástico(a) - fantastic

final - final, end

flash - flash

foto(s) -photo(s)

frente - front

frenético - frenetic, frantic

funciona - function

furia - fury

furioso - furious

fútbol (americano) - football

garaje - garage

gimnasio - gymnasium

grupo - group

hamburguesas - hamburgers

hora(s) - hour(s)

horrible - horrible

hotel - hotel

idea - idea

imagina - s/he imagines

imaginaba - s/he imagined, was imagining

impaciente - impatient

impacientemente - impatiently

importante - important

impresionar(la) - to impress (her)

incluso - including

increíble - incredible

información - information

informe - inform, report

inmediatamente - immediately

Cognados

inspeccionar - to inspect
instante - instant
intensamente - intensely
interesante - interesting
interior - interior
Internet - internet
interrumpe - s/he interrupts
interrumpió - s/he inter-
    rupted
invade - s/he invades
inventa - s/he invents
inventó - s/he invented
itinerario - itinerary
laboratorio - laboratory
león - lion
levanta - (s/he levitates), s/he
    gets up)
levantó - (s/he levitated), s/he
    got up
magnífico(a) - magnificent
mamá - mom
maravillosa - marvelous
marcador - marker
marcadores - markers
matemáticas - mathematics
menciona - s/he mentions
mencionó - s/he mentioned
mexicano - Mexican
mí - me

minuto (s) - minute(s)
momento - moment
motor - motor
mucho(a) - much, a lot
música - music
necesita - s/he needs
necesito - I need
nerviosamente - nervously
nervioso - nervous
ángel - angel
normalmente - normally
nota - s/he notes
notó - s/he noted
o - or
obediente - obedient
obviamente - obviously
obvio - obvious
ocurre - it occurs
ocurrió - it occurred
olor - odor
opción - option
oportunidad - opportunity
orden - order
ordena - s/he orders
ordenó - s/he ordered
otro(s)/otra(s) - other(s)
palacio - palace
pánico - panic
panqueques - pancakes

papá - papa
papel(es) - paper(s)
parquea - s/he parks
parqueó - s/he parked
paquete - packet
partes - parts
particular - particular
pasa - s/he passes, spends (time)
pásame - pass me
pasan - they pass
pasaron - they passed
perdón - pardon
perfecta - perfect
perfectamente - perfectly
perfecto - perfect
permitirle - to permit him/her
planes - plans
policía - police
posiblemente - possibly
prefería - s/he preferred
preferimos - we prefer
prefiere - s/he prefers
prepara - s/he prepares
preparaciones - preparations
preparando - preparing
presentación - presentation
pretender - to pretend

problema(s) - problem(s)
prohibido - prohibited
proyecto - project
rápido - rapid
rápidamente - rapidly
reacciona - s/he reacts
reaccionó - s/he reacted
realmente - really
recibe - s/he receives
recibió - s/he received
recomendaciones - recommendations
regresa - s/he regresses, returns
regresar - to return, regress
regresó - s/he regressed, returned
reparación - repair
reparadores - repairmen
reparar(lo) - to repair(it)
repite - s/he repeats
repitió - s/he repeated
representante - representative
respeta - s/he respects
respetar(la) - to respect (her)
responde - s/he responds
respondió - s/he responded
responsable - responsible

Cognados

restaurante - restaurant
resto - rest
resulta - it results
resultó - it resulted
resultado - result
romántico(a) - romantic
románticamente - romantically
salsa - salsa, sauce
salvar - to save
sarcásticamente - sarcastically
silencio - silence
silenciosamente - silently
sinceramente - sincerely
situación - situation
solo - alone
súper - super
suavemente - suavely, softly
tacos - taco
teléfono - telephone
televisión - television
texto(s) - text(s)
tolerable - tolerable
tomate - tomato
tono - tone
total - total
trágico - tragic
universidad - university

usar - to use
usualmente - usually
vacaciones - vacation
varias - various
videos - videos
vinagre - vinegar
violenta - violent
volcán - volcano
volumen - volume

El nuevo Houdini

Present Tense Version

Cover and Chapter Art by
Robert Matsudaira

by
Carol Gaab

Copyright © 2010 by TPRS Publishing, Inc.
All rights reserved.

ISBN: 978-1-935575-14-6

TPRS Publishing, Inc., P.O. Box 11624, Chandler, AZ 85248
800-877-4738

info@tprstorytelling.com • www.tprstorytelling.com

A NOTE TO THE READER

This fictitious novel is based on the top 200 words in Spanish. It contains a *manageable* amount of high-frequency vocabulary and countless cognates (words that are similar in two languages), making it an ideal first read for beginning language students.

Essential vocabulary is listed in the glossary at the back of the book. Keep in mind that many verbs are listed in the glossary more than once, as most appear throughout the book in various forms and tenses. (Ex.: I go, he goes, he went, etc.) Vocabulary that would be considered beyond a 'novice-low' level is footnoted within the text, and their meanings given at the bottom of the page where each occurs.

You may have already noticed that there are two versions to this story, a past-tense version and a present-tense version. You may choose to read one or the other, or both. Whatever version you choose, we encourage you to focus on enjoying the story versus studying the tense in which it is written.

The opinions and events in this story do not reflect or represent the opinions or beliefs of TPRS Publishing, Inc. This novel is intended for educational entertainment only. We hope you enjoy reading it!

Índice

Present Tense Version

To read this story in past tense,
please turn the book over.

Capítulo 1
Una situación horrible

– Braaaandon –llama la madre de Brandon.

Brandon está en su dormitorio, cuando su madre lo llama. Él conversa con sus amigos en Facebook. Brandon y sus amigos conversan sobre las vacaciones de sus padres. Los padres de Brandon se van de vacaciones y su hermana, Katie, va a venir a casa.

El nuevo Houdini

Brandon sólo tiene una hermana. Él no tiene hermanos. Su hermana, Katie, tiene veinte años y no vive en casa. Ella vive en un apartamento en la universidad. Brandon vive en casa con sus padres. Él está muy feliz porque sus padres se van de vacaciones y su hermana va a quedarse en casa.

2

– ¡Braaaandon! –su madre lo llama impacientemente.

– Un momento, mamá –Brandon le responde.

Brandon va a hablar con su madre. Su madre y
su padre están en el dormitorio de los padres preparándose para las vacaciones. Brandon entra en el
dormitorio y le responde a su madre:

– ¿Sí?

– Brandon, tu hermana no puede venir mañana.

– ¡¿Qué?! ¿Katie no puede venir?

– No, Brandon. Tu hermana no puede venir.
No puede quedarse contigo.

3

Para Brandon, quedarse solo no es un problema. Tiene diecisiete años y es muy responsable. Casi es adulto. Él les dice a sus padres:

– Casi soy adulto. Puedo quedarme solo.

– Brandon, tú no puedes quedarte solo.

– Tengo diecisiete años. ¡¡¡Sí puedo quedarme solo!!!

– Brandon, tú no vas a quedarte solo. Tu abuela va a venir. Ella va a quedarse contigo.

¡Brandon no está feliz! Él prefiere quedarse con su hermana, ¡no con su abuela! Su abuela es muy estricta. Para Brandon, esta situación no es tolerable. ¡Es una situación horrible! Él les dice a sus padres:

– ¡Ay! Abuelita es muy estricta. ¡¿Por qué no puedo quedarme solo?!

– Porque tu madre y yo preferimos que te quedes con un adulto –le responde su padre.

¡Brandon está furioso! Va a su dormitorio y se conecta con sus amigos en Facebook. «¡Increíble!», él les dice por la computadora. «Mi hermana no viene. Mi ABUELA viene. ¡Mi ABUELA va a quedarse conmigo!». Brandon se queda en su dormitorio por

4

dos horas. A las siete, su abuela viene a la casa y la madre de Brandon lo llama:

— Braaandon...

Brandon continúa hablando con sus amigos.

— ¡Braaandon!...

Brandon se desconecta de Facebook y va a hablar con su abuela.

— Hola abuelita.

— ¡Hola Brandi! ¿Cómo estás?

— Bien, ¿y tú?

— Feliz. Estoy muy feliz. Quedarme en casa contigo es una experiencia maravillosa –su abuela le responde– Te adoro. ji ji ji

Brandon no le responde y su padre nota su silencio. Rápidamente, su padre habla para salvar la situación:

– Abuelita, tengo el itinerario de las vacaciones. Nos vamos mañana a las cinco de la mañana.

El padre tiene dos papeles y le dice a la abuela:

– Este papel tiene información sobre Brandon y este papel tiene información sobre el itinerario.

Brandon...
1) No puede tener amigos en la casa.
2) Debe[1] ir directamente a la escuela y regresar directamente de la escuela.
3) ¡NO puede conducir mi carro!

Itinerario

domingo, 1 de mayo
Aerolínca Buena - Vuelo[2] #227
    - llegada[3]: 11:45 a.m. Aeropuerto de Hawaii

sábado, 8 de mayo
Aerolínea Buena - Vuelo #555
    - llegada: 3:15p.m. Aeropuerto de Denver

Hotel: Palacio Tropical (555)555-5555

6

La abuela nota la información sobre Brandon:

– ¿Brandon no puede conducir tu carro?

– ¡No! Brandon no puede conducir mi carro. Mi carro es muy especial. ¡Mi carro es mi bebé!

Brandon comenta sarcásticamente:

– Sí abuelita, su carro es más importante que yo. Es más importante que todo.

Brandon no habla más. Se va a su dormitorio silenciosamente.

¹*debe - s/he should*
²*vuelo - flight*
³*llegada - arrival*

7

Capítulo 2
¡Adiós!

A las cinco de la mañana, los padres de Brandon entran al dormitorio de Brandon para decirle «Adiós». Su madre le dice:

– Brandon...

Brandon duerme y no le responde.

– Brandon...nos vamos.

Brandon no le responde y su madre toca la cama[1]. Brandon continúa durmiendo. Entonces, su

[1]*cama - bed*

madre le toca la cabeza y le repite:

– Brandon, nos vamos.

Brandon ya no duerme. Es obvio que Brandon está enojado. Su madre le toca la cabeza suavemente y le dice:

– Adiós Brandon. Ya nos vamos.

Brandon le responde con un tono enojado:

– Adiós.

– Brandon, –le dice su madre– yo sé que tú estás enojado, pero no hay otra opción.

Brandon está enojado y no le responde a su madre. Ella continúa hablando:

– Brandon, por favor, respeta a tu abuela y respeta las reglas[2] de la casa también.

– Está bien –Brandon le responde sarcásticamente.

– ¡Brandon! –grita su padre– Respeta a tu madre. ¡No le hables sarcásticamente!

Su padre está enojado y continúa gritándole a Brandon:

– Brandon, no hay otra opción. Tú vas a quedarte con tu abuela y vas a respetarla. ¡Y vas a respetar las reglas de la casa!

[2]reglas - rules

– Sí, Papá. Voy a respetar las reglas: No tener amigos en casa. Ir directamente a la escuela. No conducir tu carro –Brandon repite las reglas sarcásticamente.

Ahora, su padre está muy enojado, pero no le grita más. Le dice «Adiós» y se va. Su madre le toca la cabeza y le dice:

– Brandon, yo sé que estás enojado, pero no hay otra opción. Tú eres un chico obediente y yo sé que vas a respetar a tu abuela. Adiós.

Su madre se va y Brandon no le responde. Él está muy enojado con la situación. Está enojado con su hermana por no venir a la casa y está enojado con su padre por no permitirle conducir su carro. ¡Está enojado por todo!

Brandon se queda en la cama. Se queda en la cama por tres horas, pero no duerme. Se comunica con sus amigos por textos en su teléfono celular. Tiene una conversación interesante con un amigo en particular. El amigo se llama Jake.

11

No, no puedes. No puedo tener amigos en la casa.

¿Puedes venir a mi casa?

No. Mi abuela y yo vamos a la iglesia[3] y después a Pizzeria Bianco.

¿Van en el carro de tu padre?

¡No! Nadie puede conducir su carro.

¡¿No puedes conducir el carro de tu padre?!

¡Absolutamente no!

Nada es absoluto. Tengo una idea. ¡Llámame en la mañana!

[3]iglesia - church

12

Capítulo 3
El carro no funciona

A las seis de la mañana, Brandon se levanta. Se levanta temprano porque quiere comunicarse con Jake. Brandon lo llama por su teléfono celular. «Ring... ring»

– Gracias por llamar a Pizzeria Bianco –dice Jake.

Jake es muy cómico. Siempre responde con un comentario cómico.

– Hola Jake. ¿Qué pasa?

– Nada.

– ¿Nada?

Jake no dice nada sobre su idea y Brandon se pone impaciente. Brandon le dice a Jake:

– Jake, ¿Tienes una idea o no?

– Siempre tengo ideas. ja ja ja.

Jake siempre tiene ideas, pero usualmente tiene ideas malas. Normalmente, las ideas de Jake causan problemas. Con escepticismo, Brandon le responde:

– ¿Qué idea tienes?

En este momento, abuelita interrumpe la conversación:

– Braaaandon...¿Quieres comer?

– Sí, abuelita. Un momento, por favor.

Brandon repite su pregunta:

- ¿Qué idea tienes, Jake?
- ¡Una idea perfecta!
- ¿Qué idea? –Brandon le pregunta impacientemente.

Ahora, Brandon se pone muy nervioso. Quiere conducir el carro de su padre, pero ¡conducir su carro es prohibido! Brandon no quiere problemas, pero quiere saber cual es la idea de Jake. Por fin, Jake le responde:

- Si el Buick no funciona, tú puedes conducir el carro de tu padre.
- Pero el Buick funciona perfectamente.
- Desconecta un cable del motor y cuando el Buick no funci—

Otra vez, abuelita interrumpe la conversación:

- ¡Braaaandon!... ¿Qué haces? ¿No vas a comer?

– Sí, Abuela –Brandon le responde impacientemente– Voy a comer en un minuto.

Ahora, Brandon se pone ¡súper nervioso! Jake tiene una idea magnífica, pero la idea es muy deshonesta también. Brandon le habla a Jake nerviosamente:

– Mi abuela me está llamando. Tengo que irme.

– ¿Qué vas a hacer?

– No sé.

Jake quiere convencer a Brandon a conducir el carro, así que le dice:

– Mi idea es perfecta. Puedes conducir el carro.

– Nada es perfecto... Tengo que irme. Adiós.

«clic»

Brandon va a hablar con su abuela. Ella está en la cocina¹ preparando café.

– Buenos días, abuelita.

– Buenos días, Brandi. ¿Qué quieres comer?

– Cereal.

¹cocina - kitchen

Brandon habla con su abuela y come el cereal rápidamente. Su abuela le comenta:

    – Brandi, ¡tú comes muy rápido!

    – Sí, abuelita. Tengo que ir a la escuela un poco temprano.

    – ¿Por qué?

    – Aaaaa...Porque tengo que hablar con el Señor Muñoz sobre mi proyecto de biología.

Brandon realmente no tiene que hablar con el Sr. Muñoz. Come rápidamente porque está nervioso. Está contemplando la idea de Jake. Brandon se levanta rápidamente y le dice a su abuela:

    –Tengo que irme. Adiós abuelita.

Su abuela le toca la cabeza suavemente y le responde:

– Adiós Brandi.

Brandon entra en el garaje y mira el carro de su padre. Él lo toca suavemente. ¡Es un carro increíble! Es un T-bird azul del año 1956. ¡Es maravilloso! ¡Brandon realmente quiere conducirlo! ¡Qué oportunidad fantástica! Brandon se pone súper nervioso y rápidamente desconecta un cable del motor del Buick.

Entra en la casa y le grita a su abuela:

– ¡Abuelita!... Abuelita, el carro no funciona.

– ¿Qué?

– El motor del Buick no funciona. ¿Qué voy a hacer?

– ¡Ay! Yo tengo que ir al doctor, así que no puedes conducir mi carro.

Brandon se pone súper feliz y le exclama:

– Pues...tengo que conducir el carro de mi padre.

– Sí. No hay otra opción.

Capítulo 4
El accidente horrible

Brandon se va en el carro de su padre. ¡Está súper feliz! No va directamente a la escuela. Pasa enfrente de la casa de una chica muy atractiva. Ella se llama Jamie y vive en la Avenida Remington. Brandon pasa por la avenida y mira la casa intensamente. Quiere ver a Jamie. Quiere impresionarla con su carro elegante. Desafortunadamente, Brandon no la ve, así que va a la escuela.

Al llegar a la escuela, Brandon tiene la música a todo volumen. Todos los estudiantes lo miran con admiración. Todos le gritan entusiasmadamente: «¡Qué carro increíble! ¡Tu carro es fantástico! ¡Quiero conducir tu carro!». Jamie mira a Brandon y mira su carro. Ella está muy admirada. Ella quiere hablar con Brandon. Brandon parquea el carro y Jamie va a hablarle.

    – Hola Brandon. ¡Tu carro es fantástico!

    – Gracias.

    – ¿Quieres ir a O'Donald's después de la escuela?

Brandon se pone nervioso porque tiene que ir directamente a casa después de la escuela. Él le responde nerviosamente:

    – Aaaaa..Sí. Está bien. Quiero ir.

    – ¿Vamos en tu carro fantástico?

    – Sí, vamos en mi carro.

Durante todo el día, los estudiantes hablan del carro magnífico de Brandon. Todos quieren conducir el carro, incluso Jamie y Jake. Después de la clase de matemáticas, Jake le pregunta a Brandon:

    – ¿Puedo conducir el carro de tu padre des-
      pués de la escuela?

    – Lo siento, Jake, pero voy a O'Donald's con
      Jamie.

Jake está enojado y no le habla durante el resto del día.

Después de la escuela, Jamie va a encontrarse con Brandon. Ella lo encuentra en su carro. Él habla por teléfono:

    – Sí, abuelita. Voy directamente a casa des-
      pués de hablar con el Sr. Muñoz...Sí, abue-
      lita...Adiós.

Jamie mira a Brandon y mira su carro. Ella le dice románticamente:

– Brandon, tu carro es muy elegante.

– Gracias, Jamie. ¿Quieres ir a O'Donald's ahora?

– Sí.

Jamie y Brandon salen de la escuela. Cuando ellos llegan a O'Donalds, Brandon pasa por el 'auto-toservicio' y ordena dos hamburguesas y papas fritas[1]. El chico le pregunta:

   – ¿Quiere una orden súper grande por sólo treinta y nueve centavos más?

[1]*papas fritas - French fries*

– Está bien. Quiero mucha salsa de tomate[2]
también, por favor.

Cuando llega su orden, Brandon parquea el
carro. Brandon y Jamie se quedan en el carro, comiendo sus hamburguesas y sus papas y hablando
felizmente. Brandon quiere más salsa de tomate y le
dice a Jamie:

– Pásame un paquete de salsa de tomate,
por favor.

Mientras Jamie le pasa unos paquetes de salsa
de tomate, ¡ocurre un accidente horrible! ¡Es un accidente absolutamente trágico! Un paquete de salsa
de tomate explota como un volcán. ¡Es una explo-

[2]*salsa de tomate - catsup/ketchup*

sión enorme! ¡Es una explosión violenta! ¡Hay salsa de tomate por todo el carro! Brandon mira la explosión y grita:

– ¡Qué desastre! ¡¿Qué voy a hacer?!

¡Qué desastre!
¡¿Qué voy a hacer?!

– Me imagino que vas a limpiar el interior del carro –Jamie le responde sarcásticamente.

Brandon no le responde y Jamie nota su enojo. Un poco enojada, Jamie le dice:

– Lo siento, Brandon. Fue un accidente.

– Sí, yo sé...sólo fue un accidente. Lo siento.

Brandon quiere pretender que no es un desastre total, así que él continúa comiendo las papas y hablando con Jamie. Después de una hora, Brandon conduce a la casa de Jamie y le dice: «Adiós». Entonces, va rápidamente a la casa para limpiar el interior del carro.

Capítulo 5
Una misión importante

Al llegar a la casa, Brandon va directamente a su dormitorio para consultar a Jake sobre su problema. Lo llama por su teléfono celular:

– Jake, necesito tu ayuda.

Jake está enojado y no le responde. Brandon le habla con una voz de desesperación:

– Jake, ¡por favor! Ocurrió un accidente en el carro y ¡necesito tu ayuda!

– ¡¿Qué?! ¡¿Ocurrió un accidente?! –Jake le pregunta sarcásticamente.

Brandon le responde impacientemente.

– Jake, no es una situación cómica.

– ¿Qué pasó?

– Pues, Jamie y yo fui--

Una voz familiar interrumpe su conversación:

– Braaaandon... –llama su abuela.

Brandon le responde sin entusiasmo.

– Sí, abuelita.

– Vamos a comer.

– Un minuto –Brandon le responde impacientemente.

Brandon no quiere comer. ¡Quiere limpiar el carro! Habla rápidamente y le explica el accidente a Jake. Entonces, va rápidamente a la cocina. Su abuela le hace muchas preguntas, pero Brandon no quiere conversar. Brandon piensa en el accidente. ¡Tiene que limpiar el interior del carro!, pero ¿cómo? En este momento, Brandon recibe un texto de Jake: «El vinagre es bueno para limpiar la salsa de tomate».

Brandon no quiere comer y no quiere hablar. ¡Quiere buscar el vinagre! Después de comer, su abuela mira la televisión y Brandon busca el vinagre. Brandon lo busca en el garaje. Busca por todas partes, pero no lo encuentra. Entonces, lo busca en la cocina. Mientras lo busca, su abuela entra en la cocina y le pregunta:

 – ¿Qué buscas?

 – Vinagre.

 – ¡¿Vinagre?! ¿Para qué?

Brandon inventa una excusa:

 – Lo necesito para mi proyecto de biología.

 – ¡Qué proyecto interesante!

Su abuela le ayuda a buscar el vinagre e inmediatamente lo encuentra.

Brandon se pone feliz y grita:

– ¡Eres una ángel, abuelita!

Su abuela le toca la cabeza y le responde:

– Gracias, Brandi. ji ji ji

Entonces, ella va a su dormitorio y Brandon va a limpiar el carro. Mira el interior del carro y piensa: «¡Qué desastre!». Brandon echa el vinagre en una esponja de limpiar. Limpia por diez minutos, pero sin resultados. La salsa de tomate no sale. Entonces, echa más vinagre en la esponja de limpiar y continúa limpiando. Limpia por diez minutos más, pero sin resultados. ¡La salsa de tomate todavía no sale!

Brandon está desesperado y echa vinagre direc-tamente en la salsa de tomate. ¡Echa vinagre por todo el carro! Limpia por dos horas, y resulta... un olor horrible! Ahora tiene dos proble-mas: ¡salsa de to-mate por todas partes y un olor

horrible a vinagre!

Brandon va a su dormitorio y se comunica con Jake por un texto: «¡Estoy desesperado! El carro es un desastre. ¡Ayúdame!». Jake le responde: «Mañana, después de la escuela, vamos a 'Carros Limpios'». Brandon está completamente exhausto por el estrés, pero no se puede dormir. Casi no duerme durante la noche.

En la mañana, Brandon se levanta a las siete. No come y casi no habla con su abuela. Sólo le dice:

– Abuelita, voy a hacer un experimento en el laboratorio de biología después de la escuela.

– ¿Un experimento con el vinagre?

– Aaaa... Sí. Con el vinagre.

– Quiero un informe completo del experimento –le responde su abuela.

Brandon le dice «Adiós» y se va para la escuela. Todo el día piensa en limpiar el carro. Habla un poco con Jamie. Ella quiere ir a Café Grande, pero Brandon le dice que tiene que limpiar el carro.

Después de la escuela, Brandon se encuentra con Jake y ellos van a 'Carros Limpios'. Cuando llegan, el representante le pregunta a Brandon:

– ¿Qué necesita?

– Necesito una limpieza del interior del carro.

El representante mira en el carro y exclama:

– ¡Ay, ay, ay! ¡Qué olor horrible! ¡Qué desastre!

– Sí, yo sé –le responde Brandon, un poco enojado– ¿Cuánto cuesta limpiarlo?

– Doscientos dólares para limpiarlo y cien dólares para desodorizarlo.

– ¡Trescientos dólares! – exclama Brandon.

Brandon no tiene otra opción. Los expertos limpian el carro. Después, Brandon inspecciona el interior. Ahora el carro queda limpio y ya no tiene el olor a vinagre.

Capítulo 6
¡Un beso increíble!

Con el carro limpio, Brandon regresa a casa. Llega a la casa a las cinco y treinta de la tarde, pero no entra en la casa inmediatamente. Se queda en el carro unos minutos para enviar un texto a Jamie: «¿Café Grande mañana @ 7:30?»...«Sí». «Voy por ti a las 7:15»...«Perfecto».

Brandon está muy feliz. Entra a la casa y encuentra a su abuela en la cocina.

– Hola abuelita.

– Hola Brandon. ¿Cómo estuvo el experimento?

– Aaaa...bien.

– ¿Cuál fue el resultado?

– Aaaa...pues...sólo hice las preparaciones
–le responde Brandon, un poco nervioso–
Voy a hacer el experimento mañana.

Brandon y su abuela conversan mientras su
abuela prepara tacos. Brandon mira los tacos y
¡quiere comerlos! ¡Él tiene mucha hambre!

– ¿Tienes hambre? –su abuela le pregunta.

– Sí, ¡tengo mucha hambre!

Después de comer, Brandon va a su dormitorio.
¡Está muy cansado! No se conecta en Facebook, no
envía textos y no llama a sus amigos. Rápidamente,
se duerme. Duerme toda la noche.

En la mañana, Brandon se levanta a las seis y treinta. Se levanta temprano porque va a Café Grande con Jamie. Él sale de la casa a las siete. Cuando sale, su abuela todavía duerme.

Brandon conduce a la casa de Jamie y llega a las siete y diez. Cuando llega, Jamie está en frente de la casa.

– Hola Jamie.

– Hola –ella le responde románticamente.

Los dos salen para Café Grande y al llegar, Brandon pasa por el autoservicio. Ordena dos frappuccinos y entonces, parquea el carro. Brandon y Jamie se quedan en el carro para tomar los frappuccinos. Ellos hablan de la escuela y los amigos y hacen planes de ir a un restaurante mexicano el viernes en la noche. Hablan mucho y entonces ocurre un momento de silencio.

Brandon piensa en besar a Jamie. Se imagina un beso romántico, cuando Jamie exclama:

– ¡Ay! ¡Ya son las siete y cincuenta y cinco! ¡Tenemos que irnos!

Brandon realmente no quiere salir, pero sí ¡quiere besar a Jamie! Sin embargo[1], él dirige[2] el carro hacia atrás. Mientras él dirige el carro hacia atrás, Brandon piensa: «Quiero un beso. ¿Cuándo vamos a besarnos?». En ese momento, ocurre un evento increíble: «¡Pum!». Desafortunadamente, no es un beso. ¡Es un choque! El carro de su padre choca con otro carro.

No es un choque violento, pero para Brandon ¡es un choque enorme! Brandon se pone frenético.

[1]*sin embargo - nevertheless*
[2]*dirige - s/he directs, guides*

35

Grita: «¡Nooooooo!». El chofer del otro carro mira a Brandon y le dice:

    – Sólo es un choque pequeño.

    – ¡¿Un choque pequeño?! –Brandon le grita.

    – Sí...El choque es pequeño. Es muy pequeño. Es más como un...como un...beso.

    – ¡¿Un BESO?!

    – Sí. Los carros no se chocan. ¡Se besan! ji ji ji

Brandon mira el carro de su padre y ¡ve un rasguño[3]! El rasguño es pequeño, pero para Brandon, ¡es enorme! Él exclama:

    – ¡Ay! ¡Mira el rasguño!

    – Es pequeño –le dice Jamie calmadamente.

    – ¡El rasguño es enorme! –le responde Brandon con voz de pánico.

    – ¡Cálmate, Brandon! Lo puedes reparar.

El otro chofer mira su carro y le dice a Brandon:

    – Mi carro está perfecto. No es más que un beso pequeño. Sólo es un besito. ji ji ji

Entonces, el chofer se va. Brandon se queda en silencio mirando el rasguño y contemplando cómo repararlo.

[3]*un rasguño - a scratch*

Capítulo 7
Una reparación urgente

Cuando Brandon y Jamie llegan a la escuela, todos los estudiantes están en el gimnasio para una presentación especial. Al entrar al gimnasio, Brandon busca a Jake, pero no lo encuentra. Brandon le envía un texto: «¿Dónde estás?». « En casa. No fui a la escuela», Jake le responde. Inmediatamente, Brandon le envía otro texto: «Necesito ayuda».

Brandon y Jake se comunican por textos. Brandon le explica del choque y del rasguño que tiene el auto. Jake busca reparadores de carros en el Internet. Le envía tres recomendaciones: «Reparaciones Expertas, Hermanos Reparadores y Pintura Perfecta».

Después de la escuela, Brandon va a buscar un reparador. Va a 'Reparaciones Expertas' y pregunta:

— ¿Cuánto cuesta reparar un rasguño?

El reparador mira el rasguño y le responde:

— Quinientos dólares.

— ¡Ay! ¡Cuesta mucho! —exclama Brandon.

Brandon sale para buscar otro reparador. Va a 'Pintura Perfecta' y les dice:

> – Necesito una reparación de un rasguño pequeño. ¿Cuánto cuesta repararlo?

El reparador mira el rasguño y le responde:

> – Seiscientos cincuenta.

> – ¡Cuesta muchísimo!

Brandon sale para buscar otro reparador. Va a 'Hermanos Reparadores' y les dice:

> – ¿Cuánto cuesta reparar un rasguño muy pequeño?

El reparador mira el rasguño y le responde:

> – No sé exactamente. Tengo que hacer unos cálculos y hablar con mis hermanos. Mi hermano, Gerardo, va a llamarte más tarde con un estimado.

Brandon sale y regresa a casa. Llega a la casa a las cinco y treinta. Cuando entra en la casa, su abuela está en la cocina preparando hamburguesas.

> – Hola abuelita.

> – Hola Brandi. ¿Cómo fue tu día?

> – Bueno.

> – ¿Y cómo te fue con el experimento?

> – Aaaa...pues...el exper-- «ring ring»

39

En este momento, su teléfono celular interrumpe la conversación. «Ring ring». Brandon le dice «Perdón» a su abuela y va a su dormitorio para hablar por teléfono.

- Bueno.
- Habla Gerardo de 'Hermanos Reparadores'. Necesito hablar con Brandon, por favor.
- Sí, habla Brandon.
- Tengo el estimado.
- ¿Sí?...
- Doscientos cincuenta dólares.

Brandon está contento con el estimado. Le dice «Gracias» a Gerardo e inmediatamente llama a Jake. Ellos hablan del accidente, las reparaciones y sus

planes para ir a un restaurante con Jamie el viernes.
Mientras hablan, una voz familiar interrumpe la conversación:

    – Braaaandon...

    – Sí, abuelita. Un momento, por favor.

Brandon regresa a su conversación con Jake:

    – ¿Cuándo vas a reparar el carro?

    – Mañana, después de la escuela. ¿Quieres
      ir conmigo?

    – Sí.

La abuela de Brandon lo llama otra vez:

    – ¡Braaaandon!...

Rápidamente, Brandon confirma los planes con
Jake:

– Vamos mañana, despúes de la escuela.

– Está bien. Adiós.

Brandon va a la cocina y habla con su abuela. Ella le hace muchas preguntas y Brandon responde a todas. Brandon no tiene mucha hambre y no come mucho. Después de comer, mira la televisión y a las nueve, va a su dormitorio. Está completamente exhausto y se duerme rápidamente.

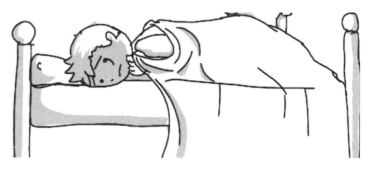

En la mañana, Brandon se levanta a las siete. Habla con su abuela y come un poco de cereal. Entonces, sale para la escuela. Durante el día, habla con Jake sobre la reparación del carro. También habla con Jamie sobre los planes para el viernes. Brandon confirma los planes: «Voy por ti a las seis».

Después de la escuela, Brandon y Jake van a 'Hermanos Reparadores'.

– Hola. Soy Brandon. Hablamos por teléfono sobre la reparación del rasguño...

– Sí. ¿Quieres hacer una cita¹ para repararlo?

– ¿Necesito una cita?

– Sí

Brandon se pone un poco nervioso y le responde:

– ¿No pueden hacerlo hoy?

– Hoy, no. El lunes, podemos.

Brandon está desesperado. ¡Quiere la reparación inmediatamente! Él se pone frenético y le pregunta a Jake:

– ¡¿Qué voy a hacer?!

– Brandon, ¡cálmate! Tengo una idea. ¡Tú y yo podemos repararlo!

Jake le explica su idea. Entonces, ellos van a la tienda Walmart® para buscar pintura. Salen de la tienda Walmart con varias pinturas: pintura Rust-olé, pintura Kryloff y un paquete de marcadores Sharpie®. Entonces, van a la casa de Jake para experimentar con las pinturas.

¹*cita - appointment, date*

Ellos deciden usar un marcador azul porque el color combina muy bien con el color del carro. Pintan el carro con el marcador Sharpie® azul y el carro queda casi perfecto.

Capítulo 8
Una cita indescriptible

Por fin, llega el viernes. Son las cinco y cuarenta y cinco y Brandon tiene que salir para la casa de Jamie. No quiere llegar tarde y le dice a su abuela:

    – Abuelita, tengo que salir.

    – ¿Adónde vas?

    – Al partido de fútbol americano.

    – Está bien, Brandi. Adiós.

El nuevo Houdini

Brandon sale para la casa de Jamie. Mientras conduce, piensa en besarla. Piensa: «Si la noche es buena, posiblemente nos besaremos[1]». Cuando él llega a la casa, Jamie corre hacia el carro porque llueve un poco.

Brandon y Jamie van al restaurante y cuando llegan, todavía llueve. Brandon parquea el carro y los dos corren hacia la puerta porque ahora llueve un poco más. Entran en el restaurante y ordenan dos Coca colas®. Ellos están muy contentos, hablan y toman Coca cola, cuando ¡una voz familiar invade la conversación!

    – ¡Ay, no! ¡Es mi abuela!

    – ¿Dónde?

[1](nos) besaremos - we will kiss (each other)

46

– ¡En la puerta!

La abuela de Brandon entra al restaurante con una amiga. Es obvio que Brandon no quiere encontrarse con su abuela. Jamie está confusa y le pregunta a Brandon:

> – ¿Es un problema?
> – Sí. Abuela piensa que estoy en el partido de fútbol. ¡Tenemos que irnos!

En este momento, Brandon se levanta y le dice:

> – ¡Corre!

Jamie se levanta y los dos salen corriendo por la puerta de atrás. Llueve mucho. Al llegar al carro, ¡llueve a cántaros[2]! Jamie le grita a Brandon:

> – ¡Rápido! Abre la puerta.

[2]*llueve a cántaros - it is raining cats and dogs*

47

El nuevo Houdini

Brandon quiere abrir la puerta, pero no puede encontrar las llaves[3]. ¡No las tiene! Busca las llaves por unos minutos, pero no las encuentra. Entonces, Brandon le dice a Jamie:

– Jamie, tú tienes que entrar en el restaurante para buscar las llaves. Yo no puedo entrar.

Jamie va a buscar las llaves en el restaurante. Mientras ella las busca, Brandon mira en el carro. Él encuentra las llaves, pero tiene un problema: las llaves están en el carro y ¡las puertas están aseguradas[4]!

Cuando Jamie regresa, Brandon le dice:

– Veo las llaves. Están en el carro.

– ¡Qué bueno!

– No es bueno. Las puertas están aseguradas.

– ¿Qué vas a hacer?

Brandon busca su teléfono celular y le responde:

– Voy a llamar a Expertos en Puertas Aseguradas.

Brandon no tiene su teléfono celular. Él lo busca, pero no lo encuentra. Mira en el carro y ¡el teléfono está en el carro también!

[3]*llaves - keys*
[4]*aseguradas - locked*

48

– Jamie, mi teléfono está en el carro. Puedo usar el tuyo⁵, por favor.

– No lo tengo. Está en casa.

Todavía llueve a cántaros, así que Jamie le dice a Brandon:

– Vamos a entrar en el restaurante. ¡Está lloviendo a cántaros!

– Yo no puedo entrar, pero tú puedes. Entra y usa el teléfono del restaurante. Llama a Expertos en Puertas Aseguradas.

Jamie entra en el restaurante y llama a Expertos en Puertas Aseguradas. Brandon se queda con el carro. Una hora más tarde, todavía llueve a cántaros y el representante de Expertos en Puertas Aseguradas llega al restaurante. Él tiene un aparato especial para abrir puertas aseguradas. Él abre la puerta con el aparato, pero cuando la abre, hace un rasguño en la puerta. Él mira el rasguño y le dice a Brandon:

– Normalmente cuesta cien dólares abrir puertas aseguradas, pero hoy no cuesta nada.

⁵*tuyo - yours*

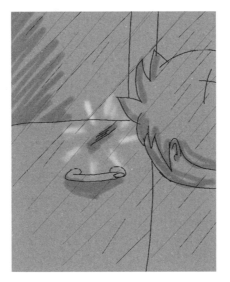

Entonces, él se va. Brandon mira el rasguño y mira a Jamie. Entonces, grita:

– ¡Aaaaaayyyy! ¡Este carro va a arruinarme!

La cita es una catástrofe y obviamente, Jamie NO le da un beso.

Capítulo 9
Una foto especial

El sábado, en la mañana, Brandon se levanta a las nueve. Busca el marcador Sharpie® azul para pintar el rasguño en la puerta del carro. Mientras busca el marcador, piensa en los eventos de la semana. Piensa en el T-bird y en Jamie. Brandon se imagina un beso romántico cuando el teléfono de la casa interrumpe su fantasía. «Ring ring»

– Bueno.

51

– Hola Brandon –le responde su madre.

– ¡Hola mamá!

– Brandon, lo siento, pero el vuelo está cancelado –le dice su madre– No vamos a regresar hasta mañana.

– ¿Hasta mañana? –Brandon le responde felizmente.

– Sí, hasta mañana. Por favor, quiero hablar con abuelita.

Brandon se va corriendo para buscar a su abuela.

– ¡Abueeeeela! Mamá quiere hablarte.

Brandon le da el teléfono a su abuela y se pone muy feliz. Ahora, él tiene otra oportunidad de salir con Jamie. Le envía unos textos a ella: «Lo siento. Yo sé que la cita del restaurante fue horrible»...Ella no le responde. «Quiero otro chance»... «¿Quieres salir conmigo esta noche?»... Desesperado, Brandon le envía un texto final: «Si me das otro chance, puedes conducir mi carro».

Un minuto después, Brandon recibe dos textos: «Lo siento. Estaba durmiendo». «Vamos a la fiesta de Adriana. Ven por mí a las siete». Brandon se pone súper feliz y pasa todo el día pensando en

Jamie. A las seis y cuarenta y cinco, Brandon va a salir de la casa. Le dice a su abuela:

– Abuelita, ya me voy.

– ¿Adónde vas?

– Voy a la casa de Jake –Brandon le responde nerviosamente.

– Regresa a las doce, por favor.

– Está bien. Adiós abuelita.

Brandon se va a la casa de Jamie. Cuando llega, su padre está enfrente de la casa. El padre le dice a Brandon:

– Hola. Me llamo Charles. Soy el padre de Jamie.

– Hola. Me llamo Brandon.

En este momento, Jamie sale de la casa. Corre a donde su padre, le da un beso y le dice «Adiós». Entonces, Brandon y Jamie salen para la fiesta. Mientras Brandon conduce, Jamie habla mucho. Habla de su familia, de sus amigas y de la escuela. Ella no menciona nada de conducir el carro y Brandon está feliz porque realmente, no quiere que ella lo conduzca[1].

---

[1]*no quiere que lo conduzca - he does not want that she drive it*

53

El nuevo Houdini

Después de quince minutos, llegan a la casa de Adriana. Hay muchos carros elegantes enfrente de la casa. La casa es muy grande y muy elegante. Brandon y Jamie entran a la casa y están muy admirados. ¡Qué casa magnífica!

En la casa, hay muchos chicos. Un grupo de chicos está en la cocina. ¡Hay mucha comida deliciosa y ellos la comen felizmente! Unos chicos miran videos en Youtube y otros bailan música romántica.

– ¿Quieres bailar? –Brandon le pregunta a Jamie.

– Sí.

Ellos bailan música romántica y Brandon piensa en besar a Jamie. Mientras bailan, una chica saca una foto[2] de ellos. Jamie mira la foto y exclama:

– ¡Es una foto muy especial!

Jamie y Brandon están muy contentos. ¡Es una noche fabulosa! A las once y cuarenta, Brandon nota la hora y exclama:

– ¡Ay! ¡Ya son las once y cuarenta! ¡Tenemos que irnos!

Jamie y Brandon se van corriendo. Cuando llegan al carro, Jamie le dice a Brandon:

– Yo quiero conducir. ¿Puedo?

Brandon no quiere que Jamie conduzca, pero no quiere decirle «no». Así que Brandon le responde:

– Está bien.

Jamie se pone súper feliz y reacciona con ¡un beso! ¡Por fin, le da un beso a Brandon! Brandon se pone muy, muy feliz. Piensa: «¡Qué beso excelente!». Entonces, Jamie sale conduciendo el carro. Ella conduce rápido y Brandon se pone un poco nervioso.

[2]*saca una foto - s/he takes a photo*

– ¡Cálmate Brandon! Soy una chofer buena.
ji ji ji.

Brandon se calma y Jamie conduce más rápido. Al instante, «¡PUM!», hay un flash brillante.

– ¿Qué fue eso?– Jamie le preguntó curiosamente.

– Otra foto especial.

Capítulo 10
El nuevo Houdini

Brandon llega a la casa un poco tarde. Cuando entra en la casa, su abuela ya está dormida. Brandon va a su dormitorio y envía un texto a Jake: «¡Qué noche excelente! Por fin, ella me da un beso. :)». Jake y Brandon conversan por textos durante treinta minutos. Hablan de los eventos de la semana, del

beso increíble y de la 'foto especial'. Al final de la conversación, Jake le comenta a Brandon: «Si tú te escapas de todos los problemas de esta semana, ¡te voy a llamar Houdini!».

Después de la conversación, Brandon se conecta en Facebook y hay un comentario de Jake: «Brandon Brown es un gran artista de escapes. Llámalo 'Houdini'». Brandon responde: «JA JA» y se desconecta de Facebook. Muy pronto se duerme.

En la mañana, Brandon se levanta muy contento. Él entra en la cocina y su abuela está preparando panqueques. Mientras Brandon y su abuela los comen, sus padres llegan a casa. Al entrar en la casa, ellos gritan:

– ¡Hola Brandon! ¡Hola abuelita!

– ¡Hola! –los dos les responden.

Los padres de Brandon hablan de sus vacaciones y les preguntan a Brandon y a abuelita sobre la semana en casa. Abuelita les responde sinceramente:

– Todo fue muy bueno. ¡Brandon es un
 ángel!

La familia habla por mucho tiempo. Entonces, abuelita sale para regresar a su casa. La madre de Brandon inspecciona la casa y su padre va al garaje

para inspeccionar los carros.   Inspecciona el Buick y repara el cable. Entonces, inspecciona su 1956 T-Bird.

Mientras lo inspecciona, Brandon entra en el garaje. Brandon mira a su padre y se pone muy nervioso.   Su padre inspecciona el carro por una eternidad y por fin, entra en la casa. Brandon se calma y entra en la casa también. Brandon y sus padres pasan el resto del día hablando y mirando fotos de las vacaciones. Al final del día, todos están muy contentos.

El nuevo Houdini

Durante los días siguientes[1], Brandon anticipa las consecuencias de todos los problemas de las vacaciones, pero ¡no ocurre nada! ¡No hay ni una consecuencia! Brandon y sus amigos celebran los *'escapes'* fabulosos de Brandon Brown y todos los estudiantes lo llaman 'Houdini'. Brandon está muy feliz... hasta el viernes.

Brandon llega a la casa a las cinco y treinta y va a su dormitorio. Conversa con sus amigos en Facebook.

[1]*siguientes - following*

También conversa con Jake por textos. «Houdini, ¿qué pasa?». «Nada»... Mientras Brandon conversa con Jake, su padre está en la cocina mirando el correo². Hay un sobre³ especial. Es un sobre de la policía. Su padre abre el sobre y ve... ¡una foto especial! Su padre mira la foto y ¡se pone furioso! El grita con una voz de león:

    – ¡BRAAAANDON!

²correo - mail
³sobre - envelope

Departamento de Policía
Multa de tránsito

Nombre	Brown, Benjamim
Dirección	555 Calle 5 Denver, CO 55555
Vehículo	1956 Thunderbird, azul

Velocidad marcada	Velocidad actual	Multa
45	67	$350

Fecha	Hora	Cámara
8 de mayo	11:49 p.m.	#22

Brandon nota la furia en la voz y rápidamente le envía un texto a Jake: «¡Ya no me llamo Houdini!».

~ El fin ~

Glosario

abre - s/he opens
abrir - to open
abuela - grandmother
abuelita - grandma (term of endearment)
adiós - good-bye
adónde - to where
ahora - now
al - to the
amigo(a) - friend
año(s) - year(s)
aseguradas - locked
así que - so
atrás - behind
ayuda - s/he helps
ayúdame - help me
azul - blue
bailan - they dance
bailar - to dance
besar(la) - to kiss (her)
besaron - they kissed
besito - a little kiss
beso - a kiss
bien - well, fine
bueno(a) - good
busca - s/he looks for
buscar - to look for

buscas - you look for
cabeza - head
cama - bed
cansado - tired
casa - house
casi - almost
chica - girl
chico - boy
choca - s/he crashes, collides
chocaron - they crash, collide
choque - crash, collision
cien - hundred (100)
cinco - five (5)
cinco y cuarenta y cinco - 5:45
cinco y treinta - 5:30
cincuenta - fifty (50)
cita - date, appointment
cocina - kitchen
come - s/he eats
comen - they eat
comer(los) - to eat them
comes - you eat
comida - food
comiendo - eating
cómo/como - how

Glosario - (Present Tense)

con - with

conduce - s/he drives

conduciendo - driving

conducir(lo) - to drive it

conduzca - s/he drives

conmigo - with me

contigo - with you

corre - s/he runs, Run! *(command)*

corren - they run

corriendo - running

cuál/cual - which

cuándo/cuando - when

cuánto - how much

cuarenta - forty (40)

cuesta - it costs

da - s/he gives

das - you give

de - of, from

decir(le) - to say to (him/her)

del - of/from the

después - after

día(s) - day(s)

dice - s/he says

diecisiete - seventeen

diez - ten

dirige - s/he directs, guides

doce - twelve (12)

domingo - Sunday

dónde/donde - where

dormida - asleep

dormir - to sleep

dormir(se) - to fall asleep

dos - two (2)

doscientos - two hundred (200)

duerme - s/he sleeps

durante - during

durmiendo - sleeping

e - and

echa - pour

él - he

el - the

ella - she

ellos - they

embargo - nevertheless

en - in, on

encuentra - s/he encounters, finds

enfrente de - in front of

enojado(a) - angry

enojo - anger

entonces - then

envía - s/he sends

enviar - to send

eres - you are

escuela - school

ese/eso - that

está - s/he is
esta(e) - this
estaba - s/he was
están - they are
estás - you are
estoy - I am
estuvo - s/he, it was
feliz - happy
felizmente - happily
fiesta - party
fue - s/he went, s/he, it was
fueron - they went
fui - I went
gracias - thank you
grande - big
grita - s/he yells
gritan - they yell
gritándole - yelling at him
habla - s/he speaks
hablamos - we spoke (speak)
hablan - they speak
hablando - speaking
hablar(le) - to speak/talk (to him/her)
(no) hables - don't speak
hace - s/he does, makes
hacen - they do, make
hacer(lo) - to do, make (it)
haces - you do, make

hacia - toward
hambre - hunger
hasta - until
hay - there is, are
hermano(a) - brother (sister)
hice - I did, made
hola - hello, hi
hoy - today
ir - to go
ir(me)/ir(nos) - to leave (I/we)
la(s) - the
le(s) - him/her (them)
levanta - s/he gets up
limpia - s/he cleans
limpian- they clean
limpiando- cleaning
limpiar(lo) - to clean (it)
limpieza - cleaning *(noun)*
limpio(s) - clean *(adj.)*
lo - it
lunes - Monday
(se) llama - s/he calls (him/herself)
lláma(lo) - call (him) *(command)*
llaman - they call
llamando - calling
llamar(te) - to call (you)

G-3

Glosario - (Present Tense)

(me) llamo - I call myself
llaves - keys
llega - s/he arrives
llegan - they arrive
llegar - to arrive
lloviendo - raining
llueve - it rains, is raining
madre - mother
malas - bad
mañana - tomorrow
más - more
mi(s) - my
mientras - while
mira - s/he looks at, look at *(command)*
miran - they look at
mirando - looking at
muchísimo - very much
muy - very
nada - nothing
nadie - nobody
ni - neither
noche - night
nueve - nine (9)
once - eleven
once y cuarenta - 11:40
otra vez - another time, again
padre - father

padres - parents
para - for, in order
partido - game
pasa - s/he, it passes (motion/time), happens
pensando - thinking
pequeño - small
pero - but
piensa - s/he thinks
pintan - they paint
pintar - to paint
pintura(s) - paint(s) *(noun)*
poco - few, a little
podemos - we are able
pone - s/he puts
por - for
por fin - finally
porque - because
pregunta - s/he asks (a question)
preguntan - they ask (a question)
preguntas - questions *(noun)*
pronto - soon
puede - s/he is able
pueden - they are able
puedes - you are able
puedo - I am able
puerta(s) - door(s)

G-4

pues - well *(interjection)*

qué - what

que - that

¿Qué pasa? - What's up?, What's happening?

(se) queda - s/he remains, stays

queda - s/he, it ends up

(se) quedan - they stay

quedar - to end up

quedarse - to stay, remain

(te) quedes - you stay, remain

quiere - s/he wants

quieren - they want

quieres - you want

quiero - I want

quince - fifteen (15)

quinientos - five hundred (500)

rasguño - scratch

reglas - rules

regresa - s/he returns, regresa *(command)*

regresar - to return

sábado - Satruday

saber - to know (a fact)

sale - s/he leaves (a place)

salen - they leave (a place)

salir - to leave (a place)

sé - I know (a fact)

seis - six

seis y treinta - 6:30

seiscientos - six hundred

semana - week

señor/Sr. - mister, Mr.

si - if

sí - yes

siempre - always

lo siento - I am sorry

siete - seven (7)

siete y cincuenta y cinco - 7:55

siete y diez - 7:10

siguiente(s) - following

sin - without

sobre - about

sólo - only

son - they are

soy - I am

su(s) - his/her

también - also, too

tarde - late, afternoon

temprano - early

tenemos - we have

tener - to have

tengo - I have

ti - you

tiempo - time

Glosario - (Present Tense)

tienda - store
tiene - s/he has
tienes - you have
toca - s/he touches
todavía - still
todo(a) - all
todos(as) - everyone
toman - they drink
tomar - to drink
treinta - thirty (30)
tres - three (3)
trescientos - three hundred
    (300)
tú - you
tu - your
tuyo - yours
un(a) - a
unos - some
va - s/he goes
vamos - we go
van - they go
vas - you go
ve - s/he sees
veinte - twenty (20)
ven - come *(command)*
venir - to come
veo - I see
ver - to see
viene - s/he comes

viernes - Friday
vive - s/he lives
voy - I go
voz - voice
y - and
ya - already, anymore
yo - I